LAS CUATRO POSICIONES MENTALES
PARA CAMBIAR TU MUNDO

El Kamasutra de la innovación

Guía disrupta
para transformar
vidas y negocios

JORGE CUEVAS
(El Buscalocos)

Grijalbo

El Kamasutra de la innovación
Guía disrupta para transformar vidas y negocios

Primera edición: septiembre, 2015

D. R. © 2015, Jorge Cuevas

D. R. © 2015, derechos de edición mundiales en lengua castellana:
Penguin Random House Grupo Editorial, S.A. de C.V.
Blvd. Miguel de Cervantes Saavedra núm. 301, 1er piso,
colonia Granada, delegación Miguel Hidalgo, C.P. 11520,
México, D.F.

www.megustaleer.com.mx

Comentarios sobre la edición y el contenido de este libro a:
megustaleer@penguinrandomhouse.com

ISBN 978-607-313-387-6

Impreso en México/*Printed in Mexico*

Para Yaz,
mi compañera de prácticas

Índice

♦

PRIMERA PARTE

La inteligencia innovadora
Lo que aumenta cuando practicas el Kamasutra de la innovación

SEGUNDA PARTE

LAS CUATRO POSICIONES MENTALES
DEL *KAMASUTRA DE LA INNOVACIÓN*

Intro

◆

En el sexo, como en la innovación, se aprende practicando

Lee

Para practicar el *Kamasutra* de la sexualidad se requiere una flexibilidad física destacable; yo no puedo alcanzar ni la mitad de las posiciones.

La buena noticia es que en el *Kamasutra de la innovación* no necesitarás una gran flexibilidad física, sino mental, porque llegarás a soluciones que nunca te habías imaginado. Tu mente se puede estirar hasta convertirte en un atleta del pensamiento divergente y creativo.

En la primera parte del libro conocerás los principios básicos de la *inteligencia innovadora*: qué es, cómo se desarrolla, por qué es la capacidad más importante de nuestra era y cuáles son sus características.

En la segunda parte descubrirás las cuatro posiciones mentales que sirven para aumentar tu inteligencia innovadora, la de tu equipo, grupo o familia. Aprenderás a ver las cosas de manera diferente y a crear soluciones a tus retos de una forma que no habías imaginado.

Yo me frustro cuando quiero aprender algo fácil y rápido y parece que el autor conspira en mi contra al explicarme las cosas del modo más complicado posible; por eso mi chamba consiste en ofrecerte una lectura ágil, ligera y divertida, para que el conocimiento no te resulte tedioso ni difícil de digerir.

Pero hay un problema.

Si crees que con sólo leer los principios y las posiciones vas a aumentar tu inteligencia innovadora, estás reteequivocado, porque en cuanto cierres el libro empezarás a olvidarlo.

Después de tres días no recordarás ni el 10%... ¿Cuántos libros te han hecho vibrar y excitarte, pero después de unos meses ya no recuerdas ni su nombre?, ¿cuánta información ha pasado por tu mente sin haber generado un movimiento real?

¿Te gustaría probar algo diferente?

¿Por qué sólo leer, si puedes ir más lejos?

CONVERSA

La educación tradicional es receptiva, el libro y el maestro hablan, el alumno escucha y dice que sí a todo; bajo esta perspectiva, eres buen estudiante si memorizas y estás de acuerdo con el profe, pero la educación tradicional no se creó para formar innovadores sino para hacer una clase dócil, obediente y trabajadora, o sea, personas que ejecuten lo que se les pide sin causar inconvenientes.

Los innovadores suelen ser considerados rebeldes, locos o malos alumnos en el sistema "normal".

Cada que leas un capítulo de este libro explícaselo a cualquier persona de tu círculo de amigos o de tu equipo. Explicar te ayudará a asimilar el conocimiento, porque quien aprende es el que da la clase, no quien la escucha.

> *La educación formal es capaz de hacer que un jaguar odie la carne.*
> —Beto Einstein[1]

Para aprender no basta con leer, ver o escuchar, también hay que conversar, conectar y crear; no te quedes con lo que dice un

---

[1] Citado por el investigador, músico y compositor uruguayo Guillermo Lamolle.

libro, confróntalo, cuestiónalo, ráyalo, táchalo, ponle de tu cose-cha: ¡atrévete a ser un mal estudiante!

Paradójicamente, cuando en vez de sólo leer o escuchar explicas y conversas sobre el tema recuerdas hasta un 95%;[2] además lo importante no es recordar o memorizar, más bien hay que hacer de la conversación un camino para estirar nuestra capacidad creativa. Este *Kamasutra* no busca ser un tratado de casos de éxito para que tu mente admire y aplauda de forma pasiva lo que otros han hecho; pretende ser un contralibro, un manifiesto que te incite a ti, a tu familia y a tu equipo a quitarse los grilletes y liberar la creatividad ante problemas, situaciones y proyectos reales.

La conversación será un elemento muy importante; porque ya verás que genera una inteligencia colectiva que te llevará a obtener mejores resultados en términos económicos y a tener una mejor experiencia profesional y personal.

---

[2] Aprendemos 10% de lo que leemos, 20% de lo que escuchamos, 70% de lo que discutimos con otros y 95% de lo que enseñamos (William Glasser, Value Awareness Workshop).

APLICA

Cuando compré por primera vez un volumen del *Kamasutra* de la sexualidad no veía tres páginas cuando ya estaba ansioso por encontrar con quién practicar; eso mismo me gustaría que te sucediera, que siempre estés con ganas de cerrar este libro para aplicar lo aprendido y crear tus propias experiencias.

En el *Kamasutra* de la sexualidad requieres una pareja para practicar, mientras que en el *Kamasutra de la innovación* necesitas problemas, proyectos y situaciones en los que quieres hacer cambios.

¿Cuál es esa situación de tu vida personal o de negocios en la que hoy necesitas ser más creativo y generar resultados exponenciales?

He conocido a personas que creen que el pensamiento divergente o creativo sólo aplica para desarrollar tecnología, pero no siempre es así, claro que sirve muchísimo en ese tipo de proyectos, pero también aplica para cualquier situación en la que quieres transformar la realidad, ya sean negocios, familia, sexo, deportes, salud, en la cama, en la cocina, en el clóset o en la oficina.

Por eso, para practicar este libro puedes elegir problemas en los que estás estancado, que llevas mucho tiempo dándole vueltas a lo mismo; problemas en los que "siempre caes en los mismos errores", porque si en alguna situación le estás poniendo muchos... esfuerzos y no hay resultados, seguramente algo está mal planteado y se necesita aplicar la inteligencia innovadora. Por ejemplo, piensa en un gerente comercial que no llega a sus cuotas y que todas las mañanas va con su equipo y les pide que le pongan más... esfuerzos, pero ya ampliaron el horario, le meten todo el corazón y el empeño que pueden, pero la cosa no cambia, entonces, ¿qué sucede?, pues que no es un tema de pura voluntad, hay que buscar opciones *disruptas*.

Ahora cambiemos de escenario. Una pareja se pelea, ¿te ha pasado?, en la reconciliación se prometen ponerle… todas las ganas del mundo, y las ponen, pero acaban peleando por lo mismo y *entre más ganas le ponen más hijos tienen*, pero la relación va peor; ¿sabes por qué?, porque no sólo es cuestión de ponerle ganas, sino de pensar diferente, de romper los moldes y de encontrar formas más creativas hasta para pelearse.

Cuando los… esfuerzos no son suficientes,
aplica la inteligencia innovadora

No necesariamente tienes que basar tu tema para innovar en un problema, también puedes elegir proyectos con los que quieres idear y construir futuro; por ejemplo: ¿cómo quieres que sea tu vida en cinco años?, ¿qué proyecto podrías hacer con tu pareja o amigos?, ¿qué nuevos y sorprendentes productos podrías desarrollar?, ¿qué mercados podrías descubrir?

Ya sea que quieras un proyecto personal o grupal, una situación del presente o del futuro, si quieres que te sirva el *Kamasutra de la innovación* hay que decidir ya.

1 PROYECTO

¿Cuál es la situación en tu vida personal o profesional, en la que hoy quieres innovar?

Piensa en esta situación como un proyecto, ¿qué título le pondrías?

© Liderazgo Quántico. Todos los Derechos Reservados. 2015

No se aprende innovación en la teoría, la mejor forma de aprender a innovar es haciendo proyectos.

Si no lo tienes aún claro, te comparto algunos ejemplos de respuesta:

LA PREGUNTA ◆	¿Cuál es la situación en tu vida personal o profesional en la que hoy quieres innovar? Piensa en esta situación como un proyecto, ¿qué título le pondrías?
VIDA ◆	Tengo un estilo de vida Godínez-sedentario-aburrido y me gustaría reinventarme. Yo le pondría por título a mi proyecto: "Más que una vida exitosa, quiero una vida excitante".
NEGOCIOS ◆	Mi empresa es muy exitosa, pero vive de un mercado que tiende a desaparecer. Mi proyecto será crear un nuevo negocio que sí armonice con las tendencias. Mi título: "Start Up del futuro".
PAREJA ◆	Nuestra relación se centró en los hijos, pero ya se fueron. Nuestro proyecto es: "Sexo reloaded", la vida empieza cuando pagas la hipoteca y los hijos se van.

Si en el camino sientes que la situación que elegiste ya no es importante o perdió vigencia, se vale regresarte y replantear.

¿Y ESPECÍFICAMENTE CÓMO LO APLICO?

Cada capítulo tendrá preguntas para contestar sobre tu proyecto o situación, algunas vendrán encerradas en círculos y otras en rectángulos.

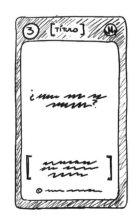

Estas preguntas que encontrarás a lo largo del libro condensan la forma de *aplicar* el *Kamasutra de la innovación* a tu vida personal o profesional, porque detrás de cada una de ellas hay herramientas, técnicas y ejercicios que estimularán tu mente para descubrir perspectivas y caminos aún no construidos, "impensados" tal vez.

He ajustado y enriquecido estas preguntas probándolas durante cinco años con más de 4 000 personas, hasta crear un modelo muy completo, fácil de usar, que lleva a personas y empresas a innovar en problemas, productos, servicios y proyectos. Con este modelo, llamado *inteligencia innovadora*, me ha tocado acompañar a empresas pequeñas, medianas y transnacionales a lograr casos de éxito en la industria alimenticia, inmobiliaria y de tecnología de información.

La aportación de este *Kamasutra* es que te ayudará a comprender y aplicar ese conocimiento en tu vida personal y profesional de forma menos teórica, más práctica y divertida, porque, paradójicamente, *si quieres innovar en serio, no debes ser tan serio.*

Detrás de las preguntas encerradas en círculos están los principios básicos de la inteligencia innovadora, los conceptos de la primera parte del libro, que sirven para dimensionar y plantear tu proyecto lo mejor posible.

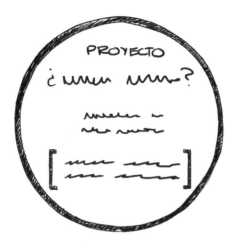

Detrás de las preguntas encerradas en rectángulos están las cuatro posiciones mentales, que aparecen en la segunda parte del libro; estas preguntas provocarán que estires tu mente hasta encontrar soluciones que no habías imaginado.

Después de cada pregunta hay un espacio para que hagas tus notas, dibujos y rayones:

Cada pregunta tiene también ejemplos de respuestas:

VIDA	
NEGOCIOS	
PAREJA	

Estos ejemplos se pueden aplicar a temas personales, de negocio o de pareja, para que tengas una idea más clara de lo que se te está planteando.

Detrás de cada pregunta hay conocimientos y técnicas de innovación que sinteticé, para tú hagas lo más importante: ¡Aplicar!

El *Kamasutra* de la sexualidad fue hecho para que los amantes lo experimenten, ¿verdad? Un doctor en sexualidad, por el hecho de ostentar un grado, no tiene ninguna garantía de vivir con más niveles de satisfacción y felicidad su vida erótica, lo importante será cómo conecte sus conocimientos con la práctica; igual que para aprender a nadar uno no tiene que inscribirse a una maestría de natación, sino lanzarse a la alberca, y para cocinar no hay que aprenderse cientos de recetas sino meterse a la cocina a experimentar.

Hoy en día, cuando un alumno termina una licenciatura es un almacén de información que ha caducado porque no se lanzó a tiempo a la alberca del mercado.

Para aprender uno tiene que experimentar mucho, fracasar mucho, intentar mucho, abrirse mucho, arriesgarse mucho y al mismo tiempo conversar sobre esos éxitos y fracasos para que la capacidad de innovar se vaya ensanchando; por eso la propuesta de este *Kamasutra* para transformarte en un innovador es:

LEER:
Para ampliar tu conocimiento.

CONVERSAR:
Para asimilar y transformar ese conocimiento.

APLICAR:
Para experimentarlo y aumentar
tu inteligencia innovadora.

Bueno pues ya, ¿no?… Mira, tienes una guía práctica, un proyecto y ganas de revolucionar tu idea. Es momento de comenzar.

Mi deseo es que puedas sorprender a los demás pero sobre todo que te sorprendas de ti con todo lo que puedes crear.

Orgasmos cordiales

El Buscalocos

f t @ElBuscalocos

jorge@elbuscalocos.com

Un guía virtual

◆

Cómo sacarle más provecho al Kamasutra

En 2010, la primera forma en la que apliqué las preguntas de la *inteligencia innovadora* fue con un juego de cartas tipo "juego de mesa" que inventé y desarrollé junto con mi equipo;[1] ese juego nos ayudó a hacer muy fácil "aprender a innovar" en equipos y personas.

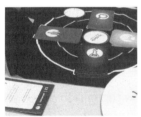

Para darte un ejemplo de los efectos generados al responder a estas preguntas te comparto los resultados que arrojó el piloto que hicimos con la versión más reciente de la herramienta con ejecutivos de nivel medio y alto de una transnacional instalada

---

[1] Lo desarrollé en LQ, que es el centro de innovación donde incubamos ideas para crear experiencias de aprendizaje que sí funcionen.

en México que aplicaron estos cuestionamientos a situaciones y proyectos reales:

- ✓ *El 76% consideró que al aplicar estas preguntas hizo un cambio considerable de perspectiva en cuanto a su situación, y 16% dijo que cambió "radicalmente" la forma en que veía las cosas.*
- ✓ *El 48% encontró soluciones diferentes a las que había pensado, y 38% dijo que decidió hacer cosas totalmente diferentes a las que tenía contempladas antes de aplicar las preguntas.*[2]

Toda la experiencia y las satisfacciones que este modelo junto con su juego nos ha dado en los últimos años están contenidas en el *Kamasutra de la innovación*, sólo que de una manera más sabrosa, jocosa y práctica, para que la pases a toda madre y la puedas aplicar de inmediato.

Y como han sido tan gratificantes los resultados que hemos tenido, pues también lo convertimos en una aplicación llamada Tu Coach para Innovar.

Esta herramienta digital es un *coach virtual* que puede facilitarte el camino y enriquecer mucho tu experiencia de lectura:

1) Puedes usar la *app* para volver aplicar las posiciones mentales del *Kamasutra de la innovación* a tus retos personales o de grupo cada que quieras.
2) Y también puedes empezar desde este momento a utilizarla, porque al integrar tecnología a la lectura harás que tu vivencia del *Kamasutra de la innovación* sea más divertida, útil y completa.

---

[2] Esta investigación fue realizada por Fernando Ramírez, socio fundador de LQ.

Algunos beneficios que puedes obtener con tu *coach* virtual son:

✓ Integrar la inteligencia innovadora a tu día a día.
✓ Incorporar a tu equipo a esta aventura.
✓ Contar con un *coach* de bolsillo, disponible todo el tiempo, que te provocará para que pienses fuera de la caja.
✓ Volver a aplicar las preguntas del *Kamasutra de la innovación* a tus proyectos sin tener que releer el texto, cada que lo necesites.

Si quieres saber cómo vivir esta experiencia interactiva consulta www.inteligenciainnovadora.com.

Hicimos el juego, el libro y la *app* con el propósito de que esta información no se quede en las nubes, porque la pregunta que nos guió y nos sigue guiando es:

¿Cómo carajos le hacemos para que esto sea útil, sorprendentemente útil y no se quede en más atascamiento de información?

LA INTRO EN SÍNTESIS

✓ El *Kamasutra de la innovación* es un libro que te guía para que aumentes tu inteligencia innovadora.

✓ La forma de aprovecharlo es:

1) Leer un capítulo.

2) Conversar ese capítulo.

3) Aplicar ese mismo capítulo a tu proyecto o situación a través de las preguntas.

✓ Las siguientes ocasiones no necesitarás volver a leer todo, sólo aplicar.

✓ La primera parte son los principios básicos de la inteligencia innovadora (eso que te aumenta al aplicar el *Kamasutra de la innovación*).

✓ La segunda parte son las cuatro posiciones mentales para transformar tu mundo.

✓ El libro está basado en un modelo que hemos probado durante más de cuatro años.

✓ La *app* Tu Coach para Innovar es un guía virtual que, si tú lo deseas, enriquecerá tu experiencia de lectura y te ayudará a seguir practicando, solo o con tu equipo, familia o comunidad.

Primera parte

◆

La inteligencia innovadora

*Lo que aumenta cuando practicas
el* Kamasutra *de la innovación*

La ola

◆

A diferencia del sexo,
en la innovación no es bueno revolcarse

¿**P**ara qué aumentar la inteligencia innovadora?, ¿por qué tanto brete en que uno sea creativo y divergente?, ¿es una moda?, ¿una campaña para vender libros y tecnología?, ¿una cantaleta con la que las empresas joroban a sus colaboradores?, ¿o de veritas sí es necesario?

Desde mi punto de vista, la inteligencia innovadora es la capacidad más importante de nuestra era y marca la diferencia entre estar fritos o en los niveles más altos de bienestar.

Mira, la historia de la humanidad es la historia de la innovación: la agricultura fue una innovación, y la moneda, el papel, la pólvora, los barcos, los trenes, la imprenta, la fotografía, y si levantas la vista observarás que todo lo que te rodea también; la innovación no es un concepto nuevo, los seres humanos nos hemos dedicado a transformar la realidad por 150 000 años, entonces, tal vez me podrías preguntar: ¿por qué hoy en día ha cobrado más importancia que las personas seamos creativas si la innovación no es algo nuevo? Yo te diría que lo nuevo en nuestra era no es que haya innovación o no, sino la frecuencia y velocidad con que sucede.

La rapidez con que sale una innovación tras otra va en archirrequeterrecontrachinga, y cada cambio va generando nuevos cambios exponenciales que afectan la forma de vida de quienes habitamos este planeta. Antes las costumbres de la sociedad tardaban décadas y hasta siglos en transformarse, y ahora los que tenemos alrededor de 40 años hemos visto más cambios que cinco generaciones enteras de la Edad Media. Pa' muestra un botón (y me ofrezco de botón): a mí me ha tocado comunicarme por carta, fax, teléfono, bíper, correo electrónico, celular, Messenger, MySpace, Skype, Facebook, Twitter, WhatsApp, y probablemente en los próximos años me toque comunicarme de cerebro a cerebro.

Cuando estaba en la secundaria mi jefe —papá—, que es muy tecnológico, tenía una "riuma", así le llamábamos a un Datsun viejito en el que nos llevaba a la playa haciendo un mínimo de ocho horas de recorrido, y eso si no se le descomponía en el camino, porque "la riuma" era el carro más viejo de todos los papás que yo conocía, pero, en contraste, mi jefe compró una PC en 1990, cosa que en la secundaria federal donde estudié se consideraba casi como un artefacto del diablo. Mis amigos iban a la casa a deslumbrarse con lo que se podía hacer en esa pantalla negra con letras verdes del sistema operativo MS-DOS y los maestros nos prohibían entregar las tareas hechas en impresora de puntos. Veíamos un *floppy disc* de 3 ½ pulgadas, al que le cabe menos información que la que hay en cualquier aplicación de tu móvil, como algo tan grandioso como cualquier nave de la *Guerra de las Galaxias*. Ahora imagínate cómo fue para mi abuela, que trabajó con la clave morse en Telégrafos de México, cuando la invité a navegar por primera vez en internet.

Lo que te quiero decir es que me ha tocado vivir los más recientes 38 añitos en los que el mundo ha tenido más cambios que en los anteriores 149 722 de la historia de la humanidad. ¿Qué innovaciones no hemos visto tú y yo, no crees?:

- La comunicación digital, un atasque de información a nuestro alcance.
- Los mayores descubrimientos sobre neurociencias en toda la historia, con la llegada de las tomografías cerebrales.
- Avances impresionantes en medicina.
- Aumento de la esperanza de vida en muchos países.
- Al mismo tiempo, enfermedades creadas por la misma innovación.
- Armas biológicas.
- Y desarrollo de alimentos que, como la innovación va más rápido que la evolución, nuestro cuerpo no está preparado para asimilar.

Así, hoy en día en mi país, México, en lo vertical, hay chavos mucho más altos que en las generaciones anteriores; pero *inorgullosamente*, en lo horizontal también hemos crecido, ganamos el primer lugar en obesidad infantil y el segundo en adultos en el campeonato de 2013.

¿Bueno o malo?, depende de la percepción de cada uno. Seguido me encuentro con personas que dicen: "Antes eran mejores tiempos"; aunque los egipcios, los griegos, los romanos y las personas de todos

> *Para bien y para mal, la frecuencia de innovación va tan rápido como un adolescente en su primera vez.*

los tiempos siempre han dicho lo mismo: "Ojalá nos hubiera tocado vivir en otra época". ¿Tú qué opinas?, ¿en qué época te hubiera gustado vivir? ¿En la Antigüedad?, ¿te hubiera gustado ser emperador, faraón o guerrero?, ¿en la Edad Media?, ¿te hubiera gustado ser un rey, un conde, un cruzado o un brujo quemado en hoguera?, ¿en el Renacimiento?, ¿la peste?, ¿la Revolución industrial?, ¿las guerras mundiales?, ¿qué rol te hubiera gustado?, ¿un empresario, un señor feudal, un esclavo o un obrero que trabajaba dieciocho horas por nada?, ¿una reina, una científica o una mujer sin derecho a votar y opinar?

Con sus avances y horrores, hay muchas épocas que a mí me fascinan, incluyendo la nuestra, pero sobre todo pienso que desear vivir en otro tiempo nos hace nostálgicos y amargados, prefiero preguntarme "¿qué podemos hacer con lo que hay?", por lo menos de aquí a que alguien invente la máquina del tiempo.

No se trata de decir que *todo* lo innovador sea bueno, los *todo* y los *nada* son para fanáticos. Cada era tiene sus luces y sombras, sus avances, retrocesos y características propias. La pregunta para mí es:

¿Qué opciones tenemos ante las circunstancias que nos toca enfrentar?

En el año 1500 el cambio era tan fuerte y rápido como una ola en un chapoteadero, y hoy la velocidad del cambio es marca tsunami o cuando menos playa para surfistas, entonces ¿qué tipo de nadadores necesitamos ser para no morir revolcados en la era más acelerada de la historia?, porque nuestros tiempos ya no sólo requieren personas que se adapten al cambio, eso estaba bien para los años ochenta; hoy para encontrar altos niveles de éxito y bienestar necesitas ser aficionado al cambio, que no sólo no te le resistas, sino que seas tú quien lo propicie.

En la época feudal poseer tierra era lo más importante, durante la Revolución industrial todo se trataba de producir más, pero en nuestra era el diferenciador máximo es la inteligencia innovadora.

Cuando me refiero a inteligencia innovadora hablo de *la capacidad para explorar, romper reglas, crear opciones y transformar mundos*, hablo del pensamiento divergente y creativo enfocado en crear lo nuevo.

> *La inteligencia innovadora* es esa capacidad de personas, equipos y sociedades de impulsar cambios que generen éxito y bienestar.

Personas o equipos sin inteligencia innovadora ¡están revolcados!

En este caso el mundo de la innovación no se parece al sexo, al contrario, en la sexualidad lo más rico es revolcarse, pero en innovación los revolcados son personas que padecen frigidez innovativa, o sea que no disfrutan los cambios, que se quedaron atrapados en el pasado, o que los arrolló un cambio de paradigma o el tsunami de algún mercado.

Por eso ante los tiempos más rápidos de la historia de la humanidad tú, yo y nuestros equipos tenemos de tres sopas: ser revolcados, surfistas o creadores de olas.

En lo personal, ¿en qué parte de la ola te encuentras?

¿Y tu empresa?

REVOLCADOS

Es curioso, pero muchas personas, empresas, ciudades y países que hoy están revolcados fueron en su momento muy exitosos; si hay algo que castiga la ola es la soberbia.

Cuando decimos: "¡Qué chingones somos, nadie puede con nosotros!", estamos listos para ser revolcados, y si no que le pregunten a doña Kodak, que cuando era súper exitosa no quiso cambiar, se durmió en sus laureles, la ola la arrolló y la revolcada fue tan dura que se murió.

No sólo a los negocios les afecta la velocidad de la ola; por ejemplo, resulta ser que la esperanza de vida en el año 4000 a.C. era de 20 años y hoy en día es de 67.2 y se especula que para el año 2030 será de 78.1 años en hombres y 85.3 en mujeres. Quiere decir que:

> **Cuando se estableció que el matrimonio**
> **era para toda la vida, la gente vivía 20 años.**

Y si la tendencia sigue así, más que bodas de plata u oro, nuestros nietos tendrán bodas de uranio o plutonio.

En la pareja de la ola de la innovación ya han cambiado los roles, el manejo económico del matrimonio, la cantidad de hijos que se tienen, el mundo en el que se educan esos hijos, el tipo de ciudad en la que se vive y los tabúes sobre la sexualidad. ¿Cómo podría encontrar buenos niveles de satisfacción en la era de la innovación una pareja que sigue utilizando un modelo de relación de la Edad Media o de la época victoriana?

A ese problema de salud personal y empresarial, que consiste en no poder disfrutar el cambio, es a lo que le llamo frigidez innovativa.

Si no queremos que la ola nos revuelque es importante que nos hagamos un chequeo, porque si padecemos frigidez innovativa tenemos el mismo riesgo de ser revolcados que una persona con hipertensión de sufrir un infarto.

La frigidez innovativa es una enfermedad muy recurrente y silenciosa, muchas veces la padecen personas muy exitosas que sin darse cuenta poco a poco se van enfermando de frigidez.

innovativa. Cada vez son más las compañías que, como doña Kodak, fallecen por esta causa.

Pero bueno, no te quiero asustar, capaz que nada que ver contigo; mira, mejor revisa si tienes alguno de estos síntomas:

- ✓ *Rigidez:* En pareja no te es fácil cambiar de opinión, ni ceder ni arriesgarte, ¿y en la empresa?, pues igual.
- ✓ *Nostalgia recurrente:* Vives en el pasado.
- ✓ *Predictibilidad:* Sueles hacer el amor siempre con el mismo preámbulo, en la misma posición y repitiendo las mismas frases y hasta gemidos. En la empresa tus reuniones y propuestas son iguales, muy aburridas, por cierto.
- ✓ *Soberbia:* Das por hecho que eres la mejor pareja y nunca preguntas si puedes cambiar en algo. En el trabajo no permites la retro, te crees demasiada pieza para aprender de los demás.

Las frases más comunes en la persona que padece frigidez innovativa: "Ya lo sé", "eso ya lo hemos intentado", "regresemos a los básicos", "¿te acuerdas cómo eran aquellos tiempos?", "no va a pasar nada, este negocio así es, nunca cambiará".

Del 0 al 10, ¿qué tanto padeces estos síntomas? ¿En qué medida la rigidez, la soberbia o la nostalgia se han ido apoderando de ti o de tu equipo?

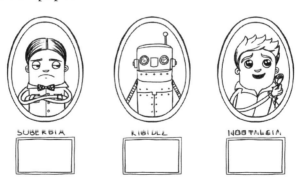

Si estás arriba del siete en cualquiera de los tres síntomas, ¡cuidado!, padeces frigidez innovativa y tienes un alto riesgo de ser revolcado.

Aplica todos los ejercicios de este libro, y si persisten los problemas, consulta inmediatamente a un especialista.

SURFISTAS

Las personas y las empresas surfistas son las que voltean a ver la ola y dicen: "'Esto es lo que viene", "ésta es la tendencia", y se suben a ella. Digamos que los surfistas son seguidores que se montan en la ola. Piensa en una universidad que va a investigar qué están haciendo en otros países y luego copia el modelo; no está liderando la innovación, pero cuando menos no se está quedando atrás. Imagina que a una ciudad llega un nuevo concepto en restaurantes y hay muchos surfistas que ven esa tendencia y se suben, mientras que existen otros restaurantes que no ven nada y poco a poco van perdiendo su clientela.

Los surfistas ven que viene, copian y se adaptan.

No quiero decir que ser surfista sea malo, de ninguna forma, el mismo Pablo Picasso decía que aprendes a crear copiando, o más bien que "un artista no sólo copia, roba".

A mí me parece que Picasso copiaba la realidad hasta deconstruirla y recrear su propia versión; mira por ejemplo su "copia" deconstructiva de *Las meninas* de Velázquez:

Picasso comenzó siendo un extraordinario pintor, pero no un innovador, a los 11 años fue admitido en la Escuela de Bellas Artes de La Coruña y a los 14 en la de Barcelona, donde superó en un solo día el examen de ingreso. Técnicamente era extraordinario, pero aún no era un innovador; tardó años en encontrarse a sí mismo y crear una ola que aún hoy sigue refrescándonos, por algo él mismo decía que a sus primeros dibujos les hacía falta la torpeza y la ingenuidad de un niño, y de ahí su famosa frase: "A los 12 años ya pintaba como los mejores del Renacimiento, pero me tardé toda la vida en reaprender a pintar como un niño". Yo diría que Picasso era un gran surfista a los 12, pero se tardó 50 años en ser el creador de la ola del cubismo.

Igual que Picasso, la idea de copiar no sólo debería ser sobrevivir o ganar unos pesos o dólares, sino aprender y aprender y luego aportarle lo tuyo. Porque si te quedas en copiar, te estancarás en el nivel de seguidor:

Pero si copias para aprender serás como un pintor convirtiéndose poco a poco en artista.

Surfista es mejor que revolcado, sin duda. Pero copiar no es lo máximo a lo que podemos aspirar, *los máximos niveles de éxtasis*, el orgasmo de la innovación, llegan cuando te *arriesgas* a ir al siguiente nivel.

CREADORES DE OLAS

La actitud que genera orgasmos innovadores

A veces pienso que los trabajos de maquila, rutinarios o robóticos se deberían de pagar al triple, porque son aburridos y no le aportan mucho a tu intelecto; mínimo que te paguen una buena lana por que se te seque el cerebro.

Los trabajos de creación, como inventar productos, hacer estrategias, arte o escribir no se deberían ni pagar, porque hacerlos ya es en sí una paga, pero ¡qué bueno que funciona al revés!

Lo que quiero decir es que los trabajos donde nada más eres un ejecutor tienen niveles de satisfacción mucho más bajos que cuando participas en el proceso de creación.

Crear la ola es la parte más deliciosa de la vida laboral, así como el sexo es una de las partes más deliciosas de la vida. De hecho aquí es donde la innovación se parece más al sexo, porque el sexo simboliza la creatividad, además ambas cosas, sexualidad e innovación, tienen que ver con la pasión, con disfrutar y dar vida.

> *La energía necesaria para la creación es de naturaleza erótica.*
> —Sigmund Freud

Una sexualidad sana y activa nos permite sentirnos plenos, fortalece nuestro sistema inmunológico, disminuye la presión arterial, reduce el estrés, los riesgos de ataques cardiacos, aumenta la autoestima y nos da vitalidad, igual que una persona que está participando en procesos de innovación se siente útil, plena y realizada.

Sin una vida sexual satisfactoria te sientes frustrado, de malas y lo proyectas, igual que si tu trabajo es rutinario, aburrido y sin oportunidad de crear te sientes vacío y con la única motivación de que llegue el fin de semana o las vacaciones.

En la sexualidad, hoy en día, creo que en general buscamos tener el máximo nivel de placer y satisfacción moderando la cantidad de hijos —si es que decidimos tener—, porque el mundo actual da para que muy pocas parejas digan: "Voy a tener cinco o 10 hijos", además los proyectos de vida son muy diversos. En sexualidad hemos descubierto que se puede disfrutar sin reproducción. Y en este caso, en innovación aplica totalmente al revés: "Los hijos que Dios nos mande", porque se trata de imaginar, crear, experimentar, pilotear y tener muchos muchos muchos muchos muchos hijos:

En innovación, no uses anticonceptivos.

Y así se siente, tal cual, cuando creas una empresa, escribes un libro, desarrollas una aplicación, juego, video, producto o campaña, es como si hubieras tenido un hijo, con la diferencia de que no los amas tanto, pero con la ventaja de que en lugar de gastar en pañales los hijos de la creatividad te dan regalías.

De ahora en adelante cuando te pregunten cuántos hijos tienes puedes decir: "Dos niños, 10 pinturas y dos esculturas" o "tres niños, dos negocios y 10 sucursales"; yo respondería: "Una niña, nueve libros, ocho juegos, una empresa y una *app*, más los que hijos que vengan"; aunque he de confesar que a veces he sido un mal padre, porque tuve un par de hijos incómodos, los cuales escribí muy joven y los descontinué porque, honestamente, me avergüenzo de su contenido.

Todo fue mi culpa, fueron niños prematuros porque me ganaron las ansias de publicar.

Es tal el grado de bienestar que produce estar creando que la generación "Y" o *millennials* (nacidos entre 1985 y 1994) está dispuesta a sacrificar un poco sus aspiraciones económicas con tal de trabajar en proyectos que impliquen pensamiento alternativo y una experiencia en la que pueda aportar creatividad; los *millennials* son alérgicos a los trabajos aburridos.

Si ampliamos la visión, veremos que entregarse a crear, probar y buscar nuevas fórmulas no sólo genera bienestar momentáneo, también nos da mejores resultados económicos, porque en nuestro mundo crear una fórmula y querer vivir de ella toda la vida no resulta sostenible. Lo de hoy se trata de "crear la cultura de estar creando" fórmulas permanentemente.

Por eso, cuando pienso "¿para qué carajos será tan importante aumentar la inteligencia innovadora?", me vienen estas frases a la mente:

✓ Para ser creadores en vez de estresados-revolcados; para que te sigan en vez de que te persigan.
✓ Para fluir en una época de mucha velocidad.
✓ Para no aburrirnos ni en nuestra sexualidad, ni en nuestra vida, ni en nuestro trabajo.
✓ Para ser y hacer la diferencia.
✓ Y sobre todo para tener una vida con más altos niveles de realización. Una vida multicreativa, multiorgásmica y con multi-hijos-negocios redituables; una vida en la que nuestro potencial de creación esté liberado.

Estos conceptos nos dicen para qué innovar; en términos generales nos muestran las consecuencias de la frigidez innovativa y los posibles impactos de crear la ola, pero aterricemos esto en tu situación o proyecto:

2 PARA QUÉ INNOVAR

¿Cuáles serían las consecuencias de no innovar en esta situación?

Y, ¿cuáles los impactos de sí hacerlo?, ¿a qué nueva realidad te podría llevar?

© Liderazgo Quántico. Todos los Derechos Reservados. 2015

Cuando soplan los tiempos de cambio, algunos levantan murallas y otros construyen molinos.

—Proverbio oriental

LA PREGUNTA ◆ ¿PARA QUÉ INNOVAR? ¿Cuáles serían las consecuencias de NO innovar en esta situación?
Y ¿cuáles los impactos de SÍ hacerlo? ¿A qué nueva realidad te podría llevar?

VIDA ◆ Si no reinvento mi estilo de vida, voy a hacerme viejito muy pronto; pero si lo cambio creo que podré tener mucha más energía, sentirme más creativo y satisfecho con la vida. Vale la pena.

NEGOCIOS ◆	Si no innovamos en nuestro producto, simplemente desapareceremos del mercado; pero si hacemos la apuesta correcta podremos revolucionar nuestro negocio.
PAREJA ◆	Si no reinventamos la forma en que nos relacionamos no sólo no va a seguir la relación sino que terminaremos odiándonos; pero si cambiamos podremos echarnos un segundo aire.

Si después de responder esta pregunta descubres que si no innovas no hay consecuencias, y que tampoco hay grandes impactos al hacerlo, probablemente elegiste un tema equivocado; es importante que tu tema te motive, que hacer cambios en esa área de tu vida o de tu empresa te genere tantas ganas que hasta te despiertes antes de que suene tu despertador porque sabes que puedes estar ante el proyecto de tu vida.

Si tu proyecto tiene un *para qué* que te llena de pasión, te cachondea y te acerca al orgasmo, has comenzado en el mejor camino; si no, continúa hasta que la misma lectura te lleve a replantearte las cosas.

RECOMENDACIONES PARA INICIARTE COMO CREADOR DE OLAS

✓ Primero decide si quieres ser creador de olas. Más adelante descubrirás cómo, pero lo importante es que tu inconsciente lo sepa, mándale ese mensaje.

✓ Haz lo mismo con tu equipo, decidan si quieren ser surfistas o creadores y pongan letreros o dibujos en la oficina para que la mente del grupo lo tenga claro.

✓ Comienza por copiar, ya sea estrategias comerciales, formas de hacer las cosas, dietas, ejercicios o lo que sea, ya encontrarás el momento de transformar esa copia en una creación propia.

✓ Siempre que tengas un proyecto pregúntate: "¿Para qué innovar?", si los impactos suenan atractivos, ¡éntrale!, si no, busca un proyecto que sí te encienda.

LA OLA EN SÍNTESIS

La época que vivimos es, por mucho, la más rápida en la historia de la humanidad, y ante ello tenemos tres opciones:

1) *Ser revolcados.* Personas y empresas frígidas, que lejos de disfrutar el cambio terminan cerrando.

2) *Surfistas.* Personas y empresas que ven la tendencia y se suben a ella.

3) *Creadores de olas.* Innovadores orgásmicos, personas y empresas que se enfocan en crear la tendencia.

Por eso, en nuestra era la inteligencia innovadora, o sea *la capacidad de explorar, romper moldes, crear opciones y emprender cambios que aporten valor*, es el máximo diferenciador.

LO QUE SIGUE: Saber qué características tiene esta inteligencia. Y saber si tengo remedio, en caso de que no sea una de mis cualidades.

La inteligencia innovadora...
puede aumentar

◆

*Mi corazón se llenó de esperanza
cuando descubrí que lo pendejo se quita*

La primera característica de la inteligencia innovadora es la flexibilidad.

A ver, cuando tienes un problema, ¿cómo respondes normalmente?, ¿con cuál de estas posiciones te identificas mejor?, ¿cuál de estas frases es más probable que digas de forma automática ante una situación difícil? Pon una palomita en tu posición más habitual, trata de ser honesto contigo y marca la opción que más te va:

[POSICIÓN RACIONAL]
" HAY QUE ANALIZAR PRIMERO"

[POSICIÓN OPTIMISTA]
" TODO VA A IR BIEN, POR ALGO
PASAN LAS COSAS."

[POSICIÓN AMARGADO]
CON FUNDAMENTO
" SABÍA QUE ESTO IBA A PASAR"

[POSICIÓN LUCHADORA]
" ¡VAMOS!, ¡ÉCHALE GANAS!, "
CON VOLUNTAD TODO SE RESUELVE.

¿Con cuál de esas cinco posiciones te identificaste más?

Las personas normalmente tenemos formas de actuar automáticas ante los retos o problemas. Si aprendimos que las cosas se arreglan peleando, pues queremos resolver todo a trancazos.

A esa forma habitual de reaccionar le voy a llamar la "posición base", me refiero a la postura mental que inconscientemente tomamos y que no nos cuestionamos, simplemente asumimos y hacemos las cosas en automático, hasta rigidizarnos en esa postura.

Imagina a un niño al que no le hacían caso sus papás porque diario trabajaban, y cuando se hallaban en casa no estaban presentes, sino que traían la mente en la luna y no lo pelaban (no le ponían atención), pero cuando el niño hacía un berrinche los papás sí volteaban a verlo y hacían todo por tenerlo contento y lograr que no los molestara con el berrinche. El niño aprendió que con tal de que no diera lata los papás lo callaban con *tablets*, videojuegos, dulces y otros regalos: ¡Eureka!, el berrinche resultó ser una posición muy conveniente.

Ya cuando creció le gustaba una chamaca, ella no quería con él, pero el niño, ahora adolescente, hacía un tango y le decía: "Mira que si no te acuestas conmigo me van a doler los testículos con un suplicio azul insoportable, pobrecito de mí", y la chamaca caía en su berrinchudo ligue. Ya adulto, en el trabajo, encontró la forma de obtener varias ganancias a través del mismo método.

Digamos que la victimización y el chantaje se convirtieron en sus posturas favoritas para lograr beneficios, e incluso ya anciano utilizaba el berrinche para que sus hijos lo fueran a visitar: "Moriré más pronto si no vienen a verme".

Lo que te quiero decir es que el cerebro por naturaleza es huevón,[1] o lo que es lo mismo, debido a la homeostasis, la búsqueda de nuestro organismo para mantenerse en equilibrio, el cerebro siempre busca ahorrar energía y lo que le resulta más "económico" es tomar la postura conocida, "la posición base", la que ya fue exitosa y funcionó, es como si el cerebro en automático dijera:

"Mira, esto ya sirvió, está probado, ¡usémoslo de nuevo! No invirtamos nuestras fuerzas en buscar otras opciones porque esa energía nos puede servir para resistir una enfermedad o para una crisis que surja; yo como cerebro en miles de años de historia he aprendido que hay que tener siempre energía en nuestras reservas."

---

[1] Aclaro que en mi país, las personas vulgares como yo utilizamos *huevón* para referirnos a *flojo*.

Si tu cerebro está demasiado cómodo
puedes perderte un banquete de ideas.

Si a la larga una persona no aprende nuevas posiciones mentales, caerá en la rigidez y estará condenada a vivir con sus *riumas* y problemas de circulación mental, por no decir que con un terrible aburrimiento por los siglos de los siglos o hasta que la muerte se lo cargue.

No sólo el cuerpo se enferma cuando no se mueve, también la mente. Y no sólo se enferma la mente de una persona, hay sociedades *riumáticas*, equipos con problemas de circulación cerebral y familias en estancamiento neuronal.

El riesgo del éxito es que nos hace creer que esa fórmula que usamos un día va a funcionar siempre en contextos y tiempos diferentes. Pero:

Las fórmulas del éxito tienen vigencia.

Imagina a don Bárbaro, quien a través del esfuerzo y la voluntad logró hacer su imperio corporativo. Es una persona admirable, muy valorada por la sociedad, que desde los 16 años *le metió toda la galleta* a trabajar, empezó desde abajo y fue amasando su fortuna y sus empresas. Su posición base ha sido hasta ahora el esfuerzo, la voluntad, ¡la lucha! A don Bárbaro, pariente de Rocky Balboa, los resultados en su historia de vida le han dado la razón, pero ahora que quiere integrar a sus hijos al imperio no sabe acomodarse más que en el esfuerzo; en su relación de pareja cree que con pura voluntad se arreglarán las cosas y hasta en su vida emocional quisiera que todo se solucionara con trabajo y determinación, ¡echándole ganas!, pero esa posición tiene límites, y si no se estira hacia la aceptación, el fluir o la creatividad, su mundo quedará tullido en el esfuerzo.

Entre más éxito nos ha dado una postura,
más nos cuesta movernos.

Es curioso, pero una persona muy energética, que le pone mucha pasión a lo que hace, que se levanta a las cinco de la mañana y trabaja todo el día, mentalmente también podría ser un auténtico huevón; suena paradójico, ¿verdad?, pero si todo ese esfuerzo físico que hace lo aplica al mismo músculo que ejercita desde hace 20 años, habrá partes de su mente completamente flácidas:

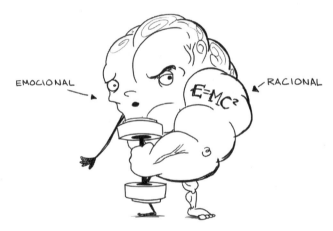

Y en esa tendencia ahorrativa y huevona de nuestro cerebro, lo que nos pasa a la mayoría de los seres humanos es que buscamos libros, estudios o actividades que nos permitan reforzar nuestra postura base.

Buscamos cosas que encajen en nuestro modelo
de pensamiento, más que experiencias que nos amplíen
nuestra perspectiva de la realidad.

Quien ha creado surcos emocionales muy avanzados busca libros de emociones, eventos que despierten sus sentimientos, pero para evolucionar quizá requiera un entrenamiento en cómo manejar su tarjeta de crédito de forma más racional —no emocional—; vaya que eso sí sería activar la zona más flácida de su mente.

El que es muy racional busca textos de análisis, tecnología, lugares y diversiones que le permitan estar en la comodidad de la razón, pero quizá para crecer necesite entrar en el mundo de la imaginación, el pensamiento divergente o expresar sus emociones más seguido y con mayor intensidad.

La inteligencia innovadora no es una posición mental,
es la combinación de muchas posiciones mentales.

Desde esta perspectiva, la estupidez innovativa sería estancarnos en un problema por la rigidez de una sola forma de pensamiento.

Imaginando que cada posición mental es una carretera en nuestra mente, la inteligencia no es ensanchar una autopista, sino crear una red de carreteras que nos permita llegar a donde queremos. Por eso la segunda parte de este *Kamasutra* te ayudará a moverte en las cuatro posiciones mentales con las que podrás revolucionar tu mundo, y ésa es la mejor noticia, esas posiciones se pueden desarrollar, porque la inteligencia innovadora es maleable.

"¿Y qué carajos significa eso de que la inteligencia es maleable?", me pregunté la primera vez que lo escuché, y no pude dejar de sonreír cuando por fin entendí lo que quería decir: ¡lo pendejo se quita!, entonces mi corazón se llenó de esperanza.

Cuando decimos que la inteligencia es maleable estamos afirmando que, según los hallazgos de las neurociencias, a cualquier edad se pueden seguir creando nuevas conexiones, desarrollando nuevos surcos neuronales y por lo tanto otras posiciones mentales, otras autopistas; o sea, se pueden encender luces en lugares de nuestra mente que estaban apagados, porque cuando haces cosas que no están en tu rutina diaria las carreteras oscuras y abandonadas de tu mente comienzan a iluminarse.

Aprender un idioma, practicar un deporte distinto, tener una nueva afición, prepararte en otras disciplinas, bailar, escribir con la mano izquierda si eres derecho o con la derecha si eres zurdo, planear con un método que no conocías, hacer el amor en las 63 formas del *Kamasutra* que aún no has practicado (son 64) y en general ver, aprender, tocar, oler, lamer, escuchar y experimentar cosas diferentes son formas de estimular tu inteligencia.

Ahora, esto de que la inteligencia es maleable me hizo sentir feliz porque me dio nuevas esperanzas, pero también me dejó paranoico, porque resulta que si lo pendejo se quita, ¿cuál sería el otro lado de la moneda?

Exacto, lo pendejo también puede aumentar.

Si no genero nuevas posiciones, abro nuevas rutas, posibilidades, lenguajes, ¡si no quiero aprender cosas nuevas!, mi inteligencia se va comprimiendo.

Además, imagínate esto, una posición mental es una brecha que luego conviertes en una carretera y al final en una superautopista "amplia y segura" con puras rectas, pero ¿qué nos sucede a las personas cuando manejamos demasiado tiempo en una carretera así, sin curvas ni sobresaltos?…

Nos quedamos dormidos, ¿no?

Lo que quiere decir que si transito en la misma carretera sin buscar nuevas posibilidades la rutina provoca que termine pendejo y además dormido, eso hace que tarde o temprano me estrelle…

¿Has visto personas transitar por la vida en un grado de rutina física y mental que estupidiza y aburre?

La inteligencia no es una característica inamovible de personas ni de organizaciones que la naturaleza te otorga. No es una etiqueta fija, sino una capacidad que puede subir o bajar; la inteligencia es algo dinámico que podemos estimular y que hace la diferencia entre una persona que evoluciona ante los retos del planeta y alguien que se quedó en carreteras que ya no llevan a ningún lado.

Lo pendejo o inteligente no es un estado permanente sino un coeficiente en constante movimiento. De ahí que si dices: "Sandra es inteligente" o "Jorge es un auténtico pendejo", te estás equivocando; en la frase "un auténtico pendejo", *auténtico* es una palabra que acentúa la etiqueta, es como si fuera una denominación de origen o un pedigrí… "¡desciende de raza de auténticos pendejos!", pero el lenguaje es muy poderoso, y si hablamos de inteligencia deberíamos tomarla como una capacidad que crece o decrece en personas y equipos, *como consecuencia del ambiente en el que nos movemos y de las cosas que aprendemos y experimentamos.*

La inteligencia no es un título nobiliario. Ya me imagino: Jacinto Pérez, conde de las matemáticas; Roberto González, barón de creatividad; Raúl Ramírez, príncipe de la disrupción… ¡no!, los títulos se otorgan, dan estatus y son para unos cuantos, mientras que la inteligencia innovadora es una capacidad dinámica que todos podemos desarrollar. La neuroplasticidad, o sea la capacidad de crear y ampliar las redes de información en nuestro cerebro, no nos promete la total abolición de la pendejez, pero sí nos da esperanzas para que en nuestra vida le demos un golpe de Estado a la dictadura de la rigidez y la cerrazón.

En este momento, ¿tú cómo andas? ¿Cómo evalúas tu capacidad actual?

3 INTELIGENCIA INNOVADORA

¿Cómo te consideras para innovar?,
¿cuáles son tus fortalezas?,
¿qué necesitas desarrollar?

© Liderazgo Quántico. Todos los Derechos Reservados. 2015

Cuando tu mano derecha sea hábil, pinta con la izquierda; cuando la izquierda se ponga hábil, pinta con los pies.

—Paul Gauguin

LA PREGUNTA ◆	¿Cómo consideras tu capacidad para innovar?, ¿cuáles son tus autopistas fuertes?, ¿qué carreteras necesitas desarrollar?
VIDA ◆	Mis carreteras desarrolladas son de creatividad; soy muy bueno para dar ideas pero la carretera que tengo abandonada es la del seguimiento, me quedo en las nubes.
NEGOCIOS ◆	Sé empujar proyectos, soy líder, pero no tengo nada de locochón, más bien soy conservador y no me gustan las ideas que se salen de la caja.
PAREJA ◆	Yo diría que soy muy bueno para hablar pero la carretera de la escucha la tengo virgen. A mi pareja la frustra que no abra la carretera de mis orejas.

RECOMENDACIONES PARA COMENZAR A AUMENTAR TU CAPACIDAD DE INNOVACIÓN

✓ Experimenta cosas diferentes a lo acostumbrado, empieza por ir a un restaurante distinto, pedir un platillo o una bebida desconocida.

✓ Estudia cosas distintas. Aprende otros idiomas aunque no les veas aplicación directa en tu trabajo; lee un tipo de libro diferente o una disciplina que nunca hayas practicado para que tu cerebro se vaya saliendo de la autopista conocida.

✓ Recuerda aquello que hace años te hubiera gustado aprender y que hoy es momento de retomar, un instrumento musical o un deporte que nunca has practicado pueden abrir nuevos caminos mentales.

✓ Pídele a tu pareja que juntos abran nuevas carreteras neuronales. Cambien los lugares, las posiciones, los preámbulos, para que sus mentes vayan flexibilizándose y sean tierra fértil para vivir innovando.

✓ En lo laboral no tengas miedo de practicar cosas que aparentemente no tienen que ver con tu puesto; los especialistas que no buscan cosas divergentes terminan por encajonarse en la cuadrícula de su profesión.

LA INTELIGENCIA INNOVADORA PUEDE AUMENTAR EN SÍNTESIS

✓ La inteligencia innovadora no se trata de una sola posición mental sino de la capacidad de cambiarte de posiciones para encontrar nuevas perspectivas y soluciones.

✓ La inteligencia innovadora es maleable, es decir, puede aumentar a través de ejercitar las cuatro posiciones mentales del *Kamasutra de la innovación*. Dicho de otra forma: lo pendejo se quita.

✓ Pero aún falta lo mejor, **LO QUE SIGUE** es descubrir la característica más inspiradora de la inteligencia innovadora, *porque el desapendejamiento no es personal sino colectivo*.

La inteligencia innovadora es colectiva

◆

En las orgías de ideas
se gestan los mejores negocios

La característica que a mí me parece más sorprendente e inspiradora de la *inteligencia innovadora* es que es *una capacidad colectiva*.

A ver, imagina a una persona con una facha muy excéntrica, que camina por la lejana montaña piense y piense, hasta que de pronto se le prende el foco… y entonces se ilumina porque la genialidad ha llegado.

Qué ridículo, ¿verdad?

Esta imagen me suena a algo así como el retrato del innovador versión Barbie o las princesas Disney de los setenta.

Y no es que no haya genios ni ideas creativas que lleguen de súbito, pero este icono deja fuera muchos aspectos humanos sobre cómo innovar y por lo mismo nos deja un cliché muy pobre:

Que la innovación es cosa de solitarios, ermitaños, genios, raros o gente de otro planeta.

Bajo este estereotipo, casi casi la innovación es cosa de alienígenas, y como tú y yo nacimos en este planeta pues estaríamos jodidos. Con ese concepto de innovador me sentiría desmotivado, pero luego me imagino a Gabriel García Márquez bailando bachata y veo que la creatividad es inherente a cualquier ser humano de carne y hueso.

Y cuando visualizo al mismo autor discutiendo sobre las ideas de sus historias tomando una nieve de vainilla con sus amigos, me queda claro que los innovadores no se pueden encajonar en un estereotipo. Imagínate al Gabo y sus amigos en esas tardes bohemias donde las ideas iban de una persona a otra, las comentaban, les aportaban, las confrontaban, era como si dialogar fuera una forma de hacer que los personajes y las historias maduraran.

Algo que me sorprende es que hasta en un oficio tan solitario como ser escritor las ideas necesitan ser comunicadas, conversadas y cuestionadas antes de convertirse en realidades. Todos los libros, incluido éste, tienen un autor oficial y muchos coautores anónimos.[1]

Pero si no te late el ejemplo de literatura, imagina a Pep Guardiola tomando un vino tinto con Juan Manuel Lillo, platicando sobre estrategia con Menoti en Argentina, comentando las coincidencias entre el ajedrez y el futbol con Kasparov o retomando conceptos de su maestro Cruyff, y mezclando todas esas ideas con sus propias opiniones para construir la ola de un estilo de juego, en lo que hasta ahora ha sido el año más exitoso de un entrenador de club en la historia del futbol, seis títulos de seis posibles.

Así como con Gabo, con Pep y sus amigos las ideas también iban y venían, no eran ideas de raza pura, sino conceptos mestizos engendrados en las mentes de distintas personas. Los conceptos eran como el balón, que lo pasas y lo pasas y lo pasas y lo pasas hasta que construyes la innovación.

Pero si no te gusta el fut, entonces visualiza a Monet y sus secuaces discutiendo en los cafés de París sobre una pintura diferente, centrada en captar la luz, en espacios abiertos, con temas distintos a los que hasta entonces eran tradicionales; imagínatelos conspirando contra la academia y el *establishment* e iniciando un

---

[1] Al final de este libro, en la sección de créditos y agradecimientos encontrarás a las personas que colaboraron conmigo para crear este libro.

nuevo e innovador movimiento en el arte. No lo hubiera podido lograr uno solo de ellos, se necesitaba la mezcla de sus pinceladas para iniciar la ola del impresionismo.

Y si no te late el arte, puedes imaginar un garage en California, con una bola de amigos *hippies* hablando sobre futuros increíbles, rebotando ideas para hacer que cada ser humano tuviera una máquina personal en su casa, lo que en esos tiempos sonaba más alucinante que el LSD.

Pero si tampoco te late la tecnología y menos el choteadísimo ejemplo de Apple, visualiza a Max Planck, Beto Einstein, Otto Hahn y Lise Meitner tocando música y hablando del mundo subatómico en la Alemania de principios del siglo XX, o imagina a unos músicos locos experimentando nuevos sonidos, ritmos y emociones, haciendo un *tokin* de ideas en tabernas y los lugares más escondidos, hasta convertirse en una revolucionaria banda de rock.

Ahora, si no te laten los ejemplos de literatura, ni de deportes, ni de arte, ni de tecnología, ni de ciencia, ni de música, pues me rindo, pobre de ti y de mí, no nos entendemos, tú piensas que mis temas no son de interés y yo estoy preocupado porque la persona más aburrida del planeta ha decidido leerme. Pero bueno, seguramente nada de esto es cierto, disculpa mi paranoia y regresemos a lo más importante.

Imagínate a ti mismo rebotando opiniones con personas que te aportan y a las que tú les aportas, sumando, restando, dividiendo y multiplicando opiniones y aportando desde diferentes posiciones mentales, para que la idea con la que revolucionarás tu proyecto madure y se convierta en una imparable avalancha. Imagina que invitas personas a las que admiras y a otras que piensan muy diferente a ti para poder desdoblar tu idea.

Obsérvate sonriendo, divirtiéndote, debatiendo, cuestionando, rodeado de personas con las que crearás una inteligencia superior a la de un solo cerebro.

¿Sabes por qué? Porque la imagen del genio ermitaño al que se le prende el foco es muy limitante, ¿por qué no mejor imaginar a muchos cerebros circulando ideas hasta crear la genialidad?

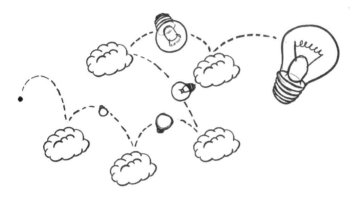

Las ideas, los proyectos y la innovación no son sólo una iluminación momentánea, sino *una inteligencia colectiva.*

En lo que la innovación no se parece al sexo es que en la sociedad las orgías suelen ser mal vistas, pero en innovación

> *Existen abundantes libros en los que se homenajea a personas que los biógrafos retratamos, o mitificamos, como inventores solitarios. Yo mismo he escrito unos cuantos. Pero lejos de ello, la mayoría de las innovaciones de la era digital fueron fruto de la colaboración.*
>
> —Walter Isaacson[2]

las orgías de ideas son lo más anhelado, son los espacios donde tres o más mentes promiscuas engendran las mejores realidades. En el sexo hay muchas personas que no reconocen a sus hijos, pero en la innovación es al revés, todos quieren adjudicarse la

---

[2] Encontré estas palabras en el libro *Los innovadores: los genios que inventaron el futuro,* pero en realidad pegué dos frases que vienen en diferentes párrafos. Estoy convencido de que no cambié el sentido de lo que el autor quiso decirnos.

paternidad de sus proyectos, así que aunque Steve le haya dado su apellido a la revolución de Apple, ahí hubo más padres y madres anónimos de los que uno cree, igual que en todas las grandes creaciones de la historia. Podría sonar polémico que en todas, pero para que una innovación surja cuando menos se tiene que montar sobre otros descubrimientos de otras generaciones o en ideas y colaboración de otras personas que hacen posible que la creación se dé.

Piensa en la cúpula de 43 metros del Panteón de Agripa, parida en el año 125 d.C., yo me la imagino vivita y coleando, más o menos así:

Es la máxima expresión de innovación de las cúpulas romanas, pero no le puedes adjudicar el crédito sólo a Adriano que la mandó construir, ni siquiera a la civilización romana. Para que pudiera haber una cubierta tan impresionante que no usara refuerzo de acero y que hoy en día lleva casi dos milenios sin caerse tuvieron que conjuntarse muchos avances tecnológicos y de diseño. El concepto de una cúpula fue "ideado" entre la época de Mesopotamia y Grecia, pero fueron los grandes ingenieros romanos quienes la construyeron al final; bajo esta perspectiva, ¿quién es el papá?, ¿quién la mamá?, ¿quién puso la semilla de la idea y quién el vientre fértil para que naciera?... Yo diría que el Panteón de Agripa es producto de una orgía multicultural, en la que de las ideas de tres civilizaciones, mesopotámicos, griegos y romanos, nació este hijo ejemplar.

Como dice Pedro J. Ramírez: "Todas las generaciones creemos protagonizar transformaciones únicas y en realidad nos limitamos a encender algunas antorchas en la caravana de historia de la innovación".[3]

Pero regresando a la tierra, a cosas más cercanas a tu realidad y a la mía, cierto día por la mañana fui a un evento de emprendurismo, y unos chavos que presentaban su caso de éxito platicaban que su negocio había madurado poco a poco, que primero era una locura o una ocurrencia, luego una idea vaga, después experimentaron, fracasaron varias veces, escucharon a sus clientes, con los aprendizajes redondearon su concepto, y a fin de cuentas los tres chavos construyeron el negocio, todos aportaron ideas y de alguna forma los tres son los padres-madres del bebé... Y no sólo ellos, también los clientes, colaboradores y hasta su competencia pusieron ladrillos para construir ese bebé.

---

[3] Tomada del libro *iWOZ*, de Steve Wozniak, Rasche, 2006.

La clave, dijeron, fue intentarlo, arriesgarse, caerse, reaprender, y yo le agregaría:

**Integrar muchas mentes
para crear una sola inteligencia.**

Si la inteligencia innovadora es esa capacidad de crear nuevas opciones a partir de diferentes posiciones mentales, ¿quién dice que las posiciones mentales deben venir del mismo cerebro?

¿Pensabas hacer tu proyecto sólo con tu cerebro?

¿A poco no estás pensando ya en algún cerebro que le podría aportar mucho a la situación en la que hoy quieres innovar?

¿A quién te dan ganas de llamar en este momento y decirle: "Quiero contigo", "quiero que hagamos una orgía de opiniones para embarazarme de nuevas posibilidades"?

Anda, como te lo comenté en un inicio, esto es de aplicar, cierra el libro y háblale y confiésale tus sentimientos: "Nuestros cerebros juntos pueden llegar al clímax de la inteligencia"… ¿qué estás esperando?, llámale y luego me cuentas cómo te fue.

El cerebro es el organismo más complejo en el universo, pero un grupo de cerebros puede ser el más fascinante sistema de creación y tú lo puedes construir. Ser innovador no sólo es generar ideas sino integrar mentes para lograrlo.

Los mejores proyectos de innovación son hechos hoy en día por equipos de diferentes disciplinas y de distintas generaciones, entre más existan mentes que piensen diferente, más riqueza de opciones podremos encontrar. Por el contrario, los equipos de personas demasiado parecidas en su forma de ser y pensar reducen posibilidades porque sus pensamientos operan en la misma caja.

Por eso es vital que al iniciar tu proyecto te preguntes:

4 INTELIGENCIA COLECTIVA

¿Quiénes están contigo en esta situación?

¿Qué aporta cada uno?, ¿valdría la pena invitar a alguien más?

Las grandes genialidades en la historia de la humanidad han sido más colectivas que individuales.

LA PREGUNTA ◆	¿Quiénes están contigo en esta situación?, ¿qué aporta cada uno?, ¿valdría la pena invitar a alguien más?
VIDA ◆	Pues es un proyecto en el que estoy solo, pero esto me hace pensar si valdría la pena invitar a alguien, tener aliados o socios. Mi hija que tiene 20 años trae ideas muy frescas, ella podría ser una opción.
NEGOCIOS ◆	Aparentemente es un proyecto del área de ventas pero creo que tendríamos que hacer una orgía e invitar a clientes y administrativos para generar una solución más integral.
PAREJA ◆	Pues mi pareja y yo nomás. Pero creo que si encontráramos otras parejas con quienes compartir historias, nos enriqueceríamos muchísimo. En principio, estoy a favor de las orgías intelectuales.

RECOMENDACIONES PARA INCENTIVAR
LA INTELIGENCIA COLECTIVA

✓ Invita a colaborar a personas diferentes a ti que puedan aportar lo que tú no ves.

✓ Siembra en tu equipo y en tu familia la idea de que las grandes ideas surgen en las conversaciones.

✓ Retoma las salidas a cafés, bares o clubes, donde puedes hablar con personas diferentes de temas que enriquecerán tus proyectos.

✓ Visualízate como un integrador de cerebros.

LA INTELIGENCIA INNOVADORA
ES COLECTIVA EN SÍNTESIS

✓ La inteligencia innovadora es una capacidad colectiva.

✓ El estereotipo del innovador como solitario alienígena al que se le prende el foco es muy limitante.

✓ Los movimientos sociales, industriales, tecnológicos, científicos, artísticos y de todo tipo de innovación en la humanidad no han sido producto de una sola mente sino de muchos cerebros colaborando en orgías de conversaciones creativas.

✓ Con esto no estamos diciendo que los genios no existan, pero sí que muchas mentes normales bien organizadas pueden idear genialidades y que la capacidad de los genios se multiplica en la colectividad.

✓ Quiere decir que no sólo es un innovador quien genera las ideas o las construye, sino también quien crea la atmósfera para que una mente colectiva se integre.

LO QUE SIGUE: Cómo construir la atmósfera en tu familia, equipo o comunidad para lograrlo.

La atmósfera

◆

En la innovación, como en el sexo,
la atmósfera es vital para animarte

E n el tema de la atmósfera, la innovación es igualititita al sexo.

Piensa en un gerente que llega con su equipo y les dice: "Anden, vamos mal en la rentabilidad, quiero que innoven, desarróllenme rapidito las ideas geniales para ampliar nuestros márgenes".

Pero en medio de la tensión, el miedo y la prisa las personas no pueden aportar mucho, porque lo que necesitan para ser creativas no es voluntad, no se trata de que le den una orden al cerebro y le digan: "Anda, huevón, muévete, dame una genialidad".

Para que *las genialidades se den* es básico crear una atmósfera propicia, con las condiciones adecuadas para que literalmente tengamos la sensación de que las ideas llegan solas; ¿no te parece que es muy parecido al sexo?

Mira, tú no puedes darle la orden a tu cuerpo: "¡Excítate!, anda, ahora es necesario".

Porque ni en mujeres ni en hombres la excitación sexual es un asunto de voluntad. Ni modo que digas "¡humedécete!", "¡leVántate!" como si fuera un "ábrete sésamo", ¿me explico?

Encenderte obedece a otra autopista, igual que activar la excitación creativa.

Hay una posición mental de la innovación en la que sí se requiere disciplina, un cuaderno de cuadritos, Excel y pasos específicos, pero de eso hablaré más adelante, por el momento déjame compartirte cuáles son las características de una atmósfera que enciende la excitación creativa de forma natural, así sabrás cómo se crea la efervescencia y pasión por cambiar nuestros mundos, para que puedas construir el más acogedor ambiente alrededor de tu proyecto:

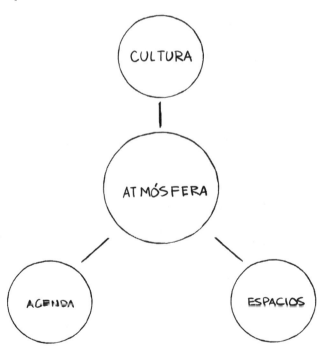

Agenda

Me tocó dar una confe después de Christensen[1] en un foro de innovación; él sostenía con números que en México se invertía muy poco dinero en innovación, tanto en el sector público como en el privado, lo cual es escandalosamente cierto,[2] y en general los países de América Latina estamos rezagados en inversiones en investigación y desarrollo, tanto por parte del Estado como de las empresas, pero por otro lado me parece que el problema no sólo es de dinero, también de tiempo; la innovación no está entre nuestras prioridades, sólo en nuestros discursos, en eso del verbo he conocido un montón de campeones que hablan de innovación, pero no le apuestan ni una hora de su semana.

Piensa en un equipo que está trabaje y trabaje y trabaje y trabaje y trabaje todo el día con los mismos problemas de siempre y sabe que necesita innovar pero "no invierte tiempo" para pensar y generar opciones fuera de la caja; obvio, así las cosas seguirán igual.

En las empresas donde yo he visto que se logra innovar hay equipos con proyectos y tiempos asignados para hacerlo, y en los que no se logra he visto que hay muchos discursos sobre la importancia de la innovación pero no está en su agenda, es puro cuento: mucho discurso y cero prioridad. Es lo mismo que con la sexualidad, si tienes diez mil cosas que hacer y no te das tiempo

[1] El creador del concepto de innovación disruptiva y coautor del libro *El ADN del innovador,* Deusto, 2012. El evento era el World Innovation Forum 2013, organizado por la compañía WOBI en León, México.

[2] Hay infinidad de datos que sustentan que en México y América Latina no se invierte en innovación, proporcionalmente, ni la cuarta parte de lo que se invierte en otros países; por ejemplo, en México se invierte 4% del PIB en investigación y desarrollo, mientras que en Suecia 3.8%. Este libro no es un ensayo económico, tema en el que de ninguna manera soy experto, por eso no incluí esta información en el flujo de la lectura, lo que quería era mostrar con hechos la poca importancia que le damos al tema, porque en discursos somos campeones.

pal' chaca-chaca, ¿cómo podrías esperar tener un nivel más alto de satisfacción?

La primera infidelidad no es cuando tu pareja se acuesta con otro, sino cuando no se acuesta contigo.

La innovación demanda tiempo, te pide que abras espacio en tu día a día para encontrar soluciones fuera de serie. Luego hay gente que dice que no es innovadora cuando lo que pasa es que no sabe si es o no es innovadora, porque no se ha dado el tiempo de intentarlo. Cuando alguien es un emprendedor pasa horas conversando, planeando, explorando y experimentando, porque innovar es su pasión, pero una vez que el éxito les dice que sí, muchos empresarios dejan de ser emprendedores, abandonan la innovación y tarde o temprano el éxito les es infiel.

Para vivir la innovación lo primero es tener un proyecto, y tú ya lo tienes, lo segundo es tener una agenda, darle prioridad.

¿Cómo te piensas organizar?, ¿cuántas horas a la semana tú y tu equipo le van a invertir?, ¿cuánto tiempo le piensas dedicar a desarrollar tu inteligencia innovadora?

Por lo que he visto en los equipos que me ha tocado *coachear*, pienso que empezar por una o dos horas a la semana, en las que tú y tu equipo se reúnan a idear sobre los temas más importantes, puede ser un buen inicio.

La clave es que no dejes la innovación "para el tiempo que te quede libre", porque seguramente no te quedará nada; la innovación es una pareja celosa que no da resultados cuando la tienes como plato de segunda mesa, por eso cuando veo que se usa mucho el foco encendido como símbolo de creatividad e innovación, pienso que un icono mucho más adecuado sería una agenda:

Todos somos innovadores siempre y cuando nos demos el tiempo de descubrirlo. Y en sexualidad acuérdate de lo que le pasó al compadre que no le daba prioridad al chaca-chaca; su mujer le dijo: "La agenda en esta casa es que aquí se hace el amor a las 10:00 de la noche, estés o no estés".

En lo individual, ¿cuánto tiempo le quieres invertir a innovar?

En tu equipo de trabajo, ¿qué días y a qué horas convendría?

En familia, ¿cuáles son esos espacios para conversar sobre nuevas ideas?

Ya verás en la segunda parte del libro las cuatro posiciones mentales que podrás utilizar durante ese tiempo, pero lo primero es que realmente lo conviertas en una prioridad.

DEMAGOGIA:
Dar muchos discursos sobre innovación
sin hacer nada para crearla.

LIDERAZGO:
Provocar que en tu compañía la innovación
sea una prioridad en la agenda.

CULTURA

La cultura es el conjunto de ideas que damos por ciertas en un grupo; por ejemplo, "la cultura de mi familia es que Navidad se pasa en casa", o "la cultura de mi empresa es que el mejor empleado es el que más se sacrifica y se parte la madre", o "la cultura de mi comunidad es que mandar a tus hijos a la escuela es educarlos". Cuando hablo de cultura entonces me refiero a lo que en un grupo se cree, se prioriza, se da por hecho, y al conjunto de prácticas y costumbres que hay alrededor de ello.

Si queremos crear una atmósfera para innovar, hay que fomentar ciertas creencias hasta que se vuelvan parte de la cultura. También hay que adquirir ciertas costumbres hasta que transformen nuestras creencias. Lo primero en esta cultura de innovación es partir de la idea de que el fracaso y el error no son malos, son más bien parte del camino de la creación, porque la paradoja de la innovación consiste en que no hay que concentrarnos en el resultado, hay que enfocarnos en aprender.

Cuando estás demasiado obsesionado con lograr el objetivo lo alejas, terminas intentando a la desesperada las mismas cosas de siempre, pero si te relajas un poco y entiendes que equivocarte es parte del camino el logro llega solito.

Quizá te estés preguntando: ¿tiene esto algo que ver con el sexo? Pero aquí estoy yo para decirte, como pensaba el buen Sigmund, que todo tiene que ver con el sexo y más esto de la cultura del error.

No hay peor cosa para echar a perder una buena relación sexual que obsesionarse demasiado con las utilidades, o sea, con los orgasmos. El amante que ve el acto sexual como una carrera en la que la meta es el clímax se pierde todo el aprendizaje. La sexualidad se trata de placer, descubrimiento, pasión, autoconocimiento, compartir, experimentar, no sólo de alcanzar las utilidades. Y en esto la sexualidad y la innovación se parecen tanto que ya no recuerdo de cuál de los dos temas estoy hablando. El mismo Wozniak, socio de Steve Jobs en los inicios de Apple, decía que él no soñaba con obtener millones de dólares, que no sabría ni en qué gastarlos, que lo que le apasionaba era el hecho de estar creando. El profesor Mihály Csíkszentmihályi nos dice que al estar creando los seres humanos entramos en uno de los estados de mayor bienestar a los que podemos tener acceso.

Los orgasmos de la vida son el sexo y la innovación.

A ti ¿cómo te va con los errores?, ¿eres tolerante contigo o traes un látigo con el que te estás jodiendo cuando algo no sale bien?

Yo creo que uno de los maestros en la cultura del error fue Edison, que cada que se equivocaba o cuando un experimento no salía bien lo veía como una buena noticia, porque ya sabía que era una nueva forma de no lograrlo, y al parecer le funcionó, por algo el muchacho logró registrar 1 093 patentes, el récord actual del mundo.

¿Quién sería para ti una persona amorosa consigo misma, que se da permiso de equivocarse?

¿Quién ha sido una persona amorosa con la que sentías (o sientes) que no hay problema si te equivocas?

¿Tú qué tan amoroso estás siendo con quienes te rodean?, ¿el error es algo admisible y hasta una buena noticia frente a ti?

Cuando no hay esta cultura del error, la persona simplemente no se arriesga, y sin riesgo no hay innovación. El mismo Kasparov, otrora campeón de ajedrez de la Unión Soviética, nos dice que en el ajedrez no hay que arriesgarse siempre, pero que es un suicida el que nunca se arriesga.

Para que haya una atmósfera propicia para innovar tiene que haber gente dispuesta a arriesgarse, y para que la gente se atreva a arriesgarse hay que construir la atmósfera adecuada, hay que originar círculos virtuosos:

Inversionistas buscando ideas para arriesgar su dinero, emprendedores sin miedo a aventarse, personas dispuestas a experimentar, jefes con el espíritu para permitir que sus equipos aprendan y colaboradores sin resistencia a hacer las cosas de formas diferentes.

Si la cultura para innovar permite el error es porque el riesgo es un ingrediente básico para transformar realidades. Si no quieres riesgos quédate como estás, aunque bueno, de todas formas te arriesgas a que te revuelque la ola.

Por supuesto que esto es como el juego, no puedes arriesgarte a lo bruto y jugar todas tus cartas en una sola partida, pero es vital en innovación que siempre tengas una apuesta, porque ya lo dice el viejo y conocido refrán: "El que no apuesta no innova", y si no que les pregunten a Chavelita y a don Fer, los reyes católicos que le apostaron una pizca del presupuesto monárquico a un pelado llamado Cristóbal, quien traía una *start up* para hacer fluir el canal comercial de las Indias a Europa, pero a la hora de la hora el negocio superó las expectativas, porque lejos de haber encontrado una nueva ruta para transportar productos descubrió un continente con un chingo de oro.

¿Cuál es tu apuesta en tu proyecto?, ¿hasta dónde estás dispuesto a arriesgarte?

Una buena fórmula es poner 70% de tu energía en cosas que impliquen poco riesgo, 20% en mediano riesgo y 10% en ideas disruptivas.

¿Tú cómo andas en relación con esas proporciones?

Ya lo dice otro viejo y conocido refrán: "Quien no apuesta no goza".

Las personas que lo hacen "en el lugar de siempre, en la misma posición y con la misma gente" terminan en el hastío. Y ojo, que si has decidido ser monógamo, sólo hace falta que descubras que todos los días tu pareja es una persona diferente. La gente aburrida se cansa aunque cambie de pareja; cuando hablo de arriesgarse me refiero a intentar cosas diferentes, atreverte a equivocarte, buscar nuevos preámbulos, lugares, aditamentos, juegos y descubrir que si a la hora de la hora no salieron las cosas perfectas, no pasa nada, "nunca nos venimos dos veces en la misma cama", o algo así decía Heráclito.[3]

Haz un plan para lograr esta cultura en la que siempre estés apostando para lograr resultados fuera de serie; usa esta tabla:

---

[3] Lo que decía Heráclito es: "No nos bañamos dos veces en las aguas de un mismo río, ni siquiera una vez". Refiriéndose al cambio permanente.

	Alto riesgo 10%	Mediano riesgo 20%	Poco riesgo 70%
Actividades profesionales que ya hago			
Actividades profesionales que me gustaría comenzar			
Prácticas sexuales que ya hago			
Prácticas sexuales que empezaré aimplementar			

La cultura para innovar no es de cero errores sino de permiso para equivocarse.

No es de máxima precaución sino de atreverse y arriesgarse.

No es de esconder tu idea sino de rebotar información.

Algo que perjudica la atmósfera para innovar es el miedo a compartir ideas por una cultura en la que se anula la opinión de los demás o donde le tenemos tal pavor al plagio que acabamos con paranoia sin querer mostrar nuestras ideas ni con nuestros compañeros, ni colaboradores, ni colegas ni mucho menos con la competencia. Pero para que haya una atmósfera para innovar se requiere una cultura inclusiva en la que se fomente la participación de todos, personas de diferentes áreas de la empresa, diferentes generaciones, orígenes, razas, religiones, preferencias, gustos, profesiones, especialidades, defectos y cualidades.

Los grupos demasiado parecidos, es decir, homogéneos, limitan el crecimiento de la inteligencia colectiva porque sus aportaciones son de visiones demasiado similares y no permiten que nos salgamos de la caja.

La atmósfera para innovar requiere que líderes y colaboradores abran su mente no sólo a ideas dife-

> *Cuando toda la gente piensa igual entre sí es porque no todos estarán pensando.*
> —David Toledo

rentes sino a personas distintas a ellos. Yo pienso que la mayoría de los problemas en el mundo tienen que ver con la intolerancia, así que crear una atmósfera apta para innovar es también un paso para concebir un mundo más inclusivo y menos violento.

Espacios físicos

En las sociedades donde ha habido más innovación abundan los cafés y los bares, porque una de las características principales de la atmósfera para innovar son esos espacios físicos y de tiempo donde las personas se relajan, comparten ideas y crean un espíritu efervescente e incluso un tanto rebelde; a fin de cuentas uno quiere innovar porque no está conforme con lo que hay.

Pensemos en las sociedades del bloque soviético donde la Stasi o la KGB no les permitían a las personas hablar de lo que estaba mal, y si no se habla de lo que está mal no se detectan las oportunidades, y si no se detectan las oportunidades no se habla de soluciones creativas, y como no hubo soluciones creativas el comunismo terminó por autodestruirse, no fueron los países capitalistas los que lo acabaron, sino la falta de innovación. El no resolver los problemas de agricultura, alimentación y tecnología, porque es muy complicado innovar en lugares donde no se puede hablar libremente. Es curioso que las ideas innovadoras de Marx terminaran deformadas en una sociedad súper represiva. El mismo Karl Marx, cuando surgieron los primeros marxistas afirmó: "Si esos son marxistas, yo no lo soy".

Y te comento esto porque las ideas son importantes, pero más importante es aún el espacio que construimos para que se desarrollen. Cuando hablo de que se necesita libertad para expresarse no digo que los equipos de innovación tengan que estar a toda hora quejándose; pero como lo descubrirás más adelante, la innovación requiere momentos donde podamos confrontar lo establecido, desafiar paradigmas y hacer propuestas que pongan de cabeza nuestro mundo. Ya comenté que el comunismo no funcionó, pero, ¿por eso debemos pensar que el capitalismo es la mejor opción?, ¿no podremos crear un modelo más decente y sostenible?, eso sólo lo podremos saber si permitimos los espacios donde se cuestione y se proponga.

La atmósfera para innovar requiere espacios que huelan a tolerancia y diversidad en todos los aspectos.

¿Qué tan fácil es para ti generar los espacios para que clientes, familiares y amigos te digan lo que nos les gusta, lo que opinan y te proponen?

Esto mismo llévalo a la pareja, no se puede innovar en la sexualidad si no creamos el espacio para hablar de lo que no nos gusta y para revelar nuestras fantasías más locochonas. A propósito, ¿tú te atreves a decir lo que te gusta y lo que no en el sexo?, o ¿qué te está faltando decir?

Cuando hablo de espacio me refiero a crear ambientes donde se pueda hablar con soltura, por eso te decía que no es casualidad que en las sociedades donde abundan los cafés y los bares haya mucha innovación; basta con pensar en el surgimiento del arte moderno en París, durante el cual las calles estaban llenas de cafés y bares en los que escritores, pintores y otros artistas hacían orgías diarias de ideas, o en la revolución digital, donde muchas compañías han creado sus espacios físicos adecuados para que la inteligencia colectiva suceda.

El espacio físico es muy importante. Imagínate a un equipo de trabajo queriendo ser creativo en unos cubículos decorados a la antigüita con colores matapasiones, en un espacio tan pequeño que ni las ideas pueden circular y donde todos están vestidos de forma tan rígida que las ideas frescas prefieren ir a esconderse a una oficina menos apretada. En la sexualidad necesitamos ambientes a media luz, aromas eróticos y *negligé*, igual que en la innovación requerimos crear espacios donde provoquemos que las ideas se desnuden y nos hablen al oído.

La belleza sí importa, las ciudades con cafés y vida en la calle despiertan más creatividad que paisajes urbanos llenos de maquilas y supermercados igualitos. La belleza es un alimento vital para una mente innovadora, porque el ambiente sí afecta, para bien y para mal, a nuestro cerebro; igual que una habitación fea, decorada sin cariño, apaga a los amantes.

Hay que crear espacios físicos donde las personas puedan sentirse relajadas, sin tanta presión, apasionadas, y eso se logra con un poco de amplitud, colores vivos y un mobiliario que nos regrese al momento que más creativos hemos sido: la niñez.

Todavía me acuerdo que en una compañía en la que he hecho talleres de innovación al lugar donde trabajábamos le llamaban "El salón de la guerra"; ellos decidieron que también necesitaban un "Salón de creatividad" y al mismo espacio le cambiaban la decoración según de lo que se tratara la junta. No te azotes y vayas a creer que para hacer innovación a fuerza debes de tener decorada tu oficina como Google. Por supuesto que las oficinas de Google son un excelente modelo de cómo crear una atmósfera para innovar, pero si entiendes la esencia puedes salir con tu equipo a ver el atardecer en la azotea de tu oficina o a caminar a un parque, o a echar un café o unos tintos; crear la atmósfera necesaria se adapta a cualquier presupuesto, porque a fin de cuentas puedes usar hasta espacios urbanos.

Un emprendedor hoy en día muy exitoso de tecnología de información me platicaba que su negocio empezó en una cochera con mesas de plástico y caguamas (cervezas de un litro), y que fue ahí donde él y sus socios lograron crear un espacio ideal para sentirse creativos.[4]

En cuanto a tu proyecto o situación en la que hoy quieres innovar:

---

[4] René Torres, cofundador de Contpaqi®, empresa líder nacional en software fiscal y contable.

5 ATMÓSFERA

Del 0 al 10, ¿qué tan favorable
es el ambiente para innovar
en esta situación?

¿Qué cosas están en tus manos para crear una
mejor atmósfera?

Entre más felices están las
ovejas, mejor leche dan.
—Me lo dijo un ganador del
concurso mundial del queso

LA PREGUNTA ◆ ¿Del 0 al 10, qué tan favorable es el ambiente para innovar en esta situación?, ¿qué cosas están en tus manos para crear una mejor atmósfera?

VIDA ◆ Pues de entrada el espacio físico en el que trabajo no es muy favorable, por ahí voy a comenzar. Por otro lado, apartaré en mi agenda un día a la semana para innovar. En lo que sí estoy muy jodido es en lo de la cultura, porque no me permito equivocarme.

NEGOCIOS ◆ El ambiente es bueno, nos llevamos muy bien, pero no hay tiempo para innovar, no es una prioridad. Creo que lo primero que podría hacer es abrir un espacio para este tipo de proyectos. Pero en cuanto al espacio físico, nuestra oficina parece una cajita para robots, lo que haré es tener las juntas de innovación en el parque de enfrente.

PAREJA ◆ Pues la atmósfera es muy malita, no estamos buscando buenas ideas sino quién la riega más feo. Y creo que sería bueno discutir en un mejor espacio, quizás echando unos tintos o caminando en la calle, como que la cama es un buen lugar para practicar el Kamasutra de la sexualidad, no el de la innovación.

RECOMENDACIONES PARA CREAR LA ATMÓSFERA PARA INNOVAR

✓ Marca en tu agenda las reuniones para innovar con la misma prioridad que pones tus reuniones más importantes.

✓ Procura que esas reuniones se den de forma sistemática. Si en un principio no sabes qué hacer en esas reuniones porque apenas vas a conocer las posiciones mentales, tómalas como espacios de conversación libre donde las ideas comenzarán a sentir que tienen un lugar.

✓ Inviértele tiempo y dinero a ambientar los espacios físicos donde te mueves en lugares donde dan ganas de innovar.

✓ Conviértete en un impulsor de la cultura innovadora; propicia, en lo que esté en tus manos, que en tu casa, empresa y comunidad haya espacios inclusivos para hablar de oportunidades y soluciones creativas.

LA ATMÓSFERA EN SÍNTESIS

✓ La atmósfera que tú puedes crear para que la innovación florezca se construye con una agenda, cultura y espacios físicos adecuados.

✓ *La agenda*: Sólo se puede innovar si lo convertimos en nuestra prioridad.

✓ *La cultura*: Para que la innovación surja se requiere una cultura de país o de empresa que permita el error, estimule el riesgo e integre personas diferentes.

✓ *El espacio*: En las instituciones, familias, empresas y países donde hay espacios para que las personas expresen sus ideas libremente, la innovación surge naturalmente.

✓ **LO QUE SIGUE**: Establecer los parámetros para que tengas claro qué quieres y a qué te estás enfrentando en tu proyecto, así estarás listo para iniciarte en la práctica de las cuatro posiciones del *Kamasutra de la innovación*.

¿CÓMO SABER QUE YA INNOVÉ?

◆

Eso depende de "qué quieras lograr"

Hasta ahora, mientras descubrías los principios básicos de la inteligencia innovadora, te he preguntado:

✓ *¿Cuál es la situación en la que necesitas innovar?*
  Ya que a innovar se aprende practicando.
✓ *¿Para qué hacerlo?*
  Porque la idea es que seas creador de tu ola.
✓ *¿Cómo consideras tu nivel de inteligencia innovadora?*
  Para que a partir de hoy aumente más y más.

✓ *¿Quiénes están contigo en esta situación?*
Para que te visualices como un integrador de cerebros.
✓ *¿Cuál es la atmósfera en la que están concibiendo su proyecto?*
Porque si trabajas bien la tierra, los frutos se dan solos.

Antes de entrar en la segunda parte del libro y que te inicies en la práctica de las cuatro posiciones mentales me gustaría que aplicaras dos preguntas más, que te servirán como referencia en el resto del libro.

¿QUÉ QUIERES?

Pon tu mente en la situación en la que hoy quieres innovar:

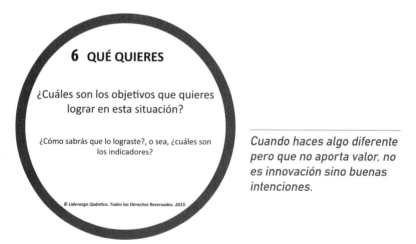

6 QUÉ QUIERES

¿Cuáles son los objetivos que quieres lograr en esta situación?

¿Cómo sabrás que lo lograste?, o sea, ¿cuáles son los indicadores?

© Liderazgo Quántico. Todos los Derechos Reservados. 2015

Cuando haces algo diferente pero que no aporta valor, no es innovación sino buenas intenciones.

LA PREGUNTA ◆	¿Cuáles son los objetivos que quieres lograr en esta situación?, ¿cómo sabrás que lo lograste?, o sea, ¿cuáles son los indicadores?
VIDA ◆	Tengo dos objetivos: ganar el doble y tener una vida más equilibrada, ¿cómo lo mido?, hoy en día chambeo cerca de 60 horas a la semana, habrá equilibrio, desde mis parámetros, cuando trabaje sólo 20.
NEGOCIOS ◆	El objetivo sería aumentar 3% las ventas en el trimestre, pero eso sería una mejora; si realmente logramos innovar tendremos un aumento exponencial mínimo de dos dígitos.
PAREJA ◆	Sabremos que hemos logrado el objetivo cuando nos podamos decir las cosas de frente, en vez de durar días sin hablar.

Para que una innovación sea considerada como tal necesita haber aportado valor, tener un resultado. Ese resultado puede ser económico, social o de calidad de vida.

Puede ser incremental: o sea una pequeña mejora.

O puede ser radical: un cambio exponencial que transforma la realidad.

Por eso es muy importante que tengas esta idea de *qué quieres* y cuáles son los indicadores que te dirán que lo has logrado, para que poseas un punto de referencia y cuando te preguntes cómo te fue, cuentes con un parámetro para medirlo.

Cada que lo necesites puedes regresar y revisar esta pregunta, pero no nada más para ver si ya lo lograste, también para pensar si aún quieres lo mismo, porque es muy muy muy probable que cuando practiques las cuatro posiciones tú y tu equipo descubran que se habían quedado cortos de miras, o sea que descubras que puedes aspirar a más. Que tú habías pensado en una pequeña mejora incremental, pero que a la hora de la hora lograste una innovación radical que cambió a tu empresa y, por qué no, a tu mercado.

Suele suceder que si amplías tu pensamiento el resultado sea otro que el que te planteaste originalmente; ¿que tal que tú practicas y practicas el *Kamasutra de la innovación* esperando tener un hijo, pero a la hora de la hora te salen gemelos, trillizos o cuatrillizos?; por eso lo que hoy quieres es una referencia, un parámetro muy útil, pero no te aferres a tus objetivos, ten los ojos abiertos a las sorpresas; recuerda que probando una droga para la angina de pecho se descubrió el sildenáfilo; ¿qué es eso?: ¡Viagra!

Por el contrario, también puede pasar que no te esté yendo bien porque tus expectativas son irreales y que una vez que aplicas las posiciones del *Kamasutra* descubres que tienes que ajustar o replantear tu meta, lo cual ya verás que no es malo.

A veces ir un poco hacia atrás nos ayuda a elegir un camino menos tormentoso para lograr resultados increíbles. La frase "pa'trás ni pa' tomar vuelo" seguro la inventó un obstinado que se estrellaba siempre en las mismas paredes, y que en vez de darles la vuelta intentaba derrumbarlas.

Cuando damos un paso hacia atrás podemos ver el panorama y replantearnos las opciones; por eso un innovador sabe lo que quiere, pero está dispuesto siempre a cambiar sus expectativas.

Desafío

La otra pregunta que me gustaría que te hagas tiene que ver con el reto o el obstáculo que consideras más difícil de vencer en tu proyecto.

7 DESAFÍO

¿Cuáles son los obstáculos o retos que hoy percibes en esta situación?

© Liderazgo Quántico. Todos los Derechos Reservados. 2015

El secreto de la innovación es convertir los obstáculos en tus mejores amigos.

LA PREGUNTA ◆ ¿Cuáles son los obstáculos o retos que hoy percibes en esta situación?

VIDA ◆ Pues creo que el obstáculo es la falta de tiempo, paso mucho tiempo trabajando y le dedico poco a mi proyecto de reinventarme.

NEGOCIOS ◆ Creo que el obstáculo más grande es el miedo a cambiar, el de mi equipo y el mío.

PAREJA ◆ El obstáculo más grande en esto es que diario decimos que vamos a hacer algo y no cumplimos y ya ninguno de los dos cree.

Este desafío también tómalo como un punto de referencia, porque es posible que lo derrumbes o que cambie o incluso que en las siguientes páginas descubras que éste no era el verdadero problema de tu proyecto.

A fin de cuentas las cuatro posiciones que a continuación encontrarás, todas, colaboran con la idea de que transformes tu obstáculo en tu mejor amigo.

Sé que suena extraño, pero algunas veces la persona que más gorda nos caía resultó ser alguien que en el fondo nos atraía sexualmente, o que tenía tantas cosas similares a lo que no aceptábamos de nosotros mismos, que nos desquiciaba, ¿te ha sucedido?

Por eso en este cierre de la primera parte del libro te invito a dudar, porque así, con tu mente llena de dudas, aprenderás muchísimo:

Si tu mente sólo tiene certezas no podrás ver lo invisible.

Éste es el momento de dudar. Duda de tus miedos, duda de tus límites, duda de lo que has escuchado hasta hoy y aviéntate al vacío, a iniciarte en la práctica de las posiciones mentales del *Kamasutra*.

Deseo que en las siguientes páginas descubras que has vivido engañado, que en tu mente hay mucho más genialidad de la que hasta hoy has creído.

PRIMERA PARTE,
PRINCIPIOS BÁSICOS EN SÍNTESIS

✓ Ante los tiempos más rápidos de la historia puedes ser revolcado, surfista o creador de olas.

✓ El sexo simboliza la creación y por lo mismo el *Kamasutra de la innovación* es una guía para dominar el arte de crear olas.

✓ La inteligencia innovadora es la capacidad de hacer cambios que crean valor.

✓ La inteligencia innovadora es maleable porque puede aumentar o decrecer y ser colectiva, porque las más grandes creaciones son producto de muchas mentes en una orgía de pensamiento.

✓ Ella también es la clave para que la inteligencia innovadora sea una atmósfera que facilite el riesgo, que tolere el error y que motive a intentar lo diferente.

✓ Para empezar a practicar las posiciones mentales del *Kamasutra de la innovación* es bueno que tengas dos parámetros: qué quieres y cuál es el obstáculo que enfrentas, porque en las próximas páginas probablemente cambies de idea; quizá no quieres lo que creías querer o tal vez el enemigo de tu proyecto, no lo es.

LO QUE SIGUE: La segunda parte del libro, la iniciación a las cuatro posiciones mentales del *Kamasutra de la innovación*.

Segunda parte

◆

Las cuatro posiciones mentales del
Kamasutra de la innovación

El *Kamasutra* de la sexualidad es un libro sagrado que en la primera parte habla de los principios y el trabajo básico sobre el amor, el sexo y su lugar en la vida del hombre, pero la segunda parte es la más divertida, porque ahí encuentras las posiciones más inauditas para acceder a mayores niveles de placer, experimentación, satisfacción y comunicación con tu pareja, aunque, en honor a la verdad, como te lo comenté en un inicio, disto mucho de ser un maestro en el tema.

Éste no es un libro sagrado, pero igual que el otro *Kamasutra* comienza con los principios básicos y continúa con lo más sabroso: las *cuatro posiciones mentales para transformar realidades*.

Cuando me refiero a una posición mental, hablo de un enfoque de la mente totalmente diferente a otro, por eso es posible que conforme practiques te des cuenta de que te es muy fácil llegar a alguna de las posiciones y que otras te cuestan mucho trabajo.

En ese sentido habrás encontrado un camino de crecimiento para desarrollarte y abrirte posibilidades, pero estirarte y hacer cambios en ti no será la única forma de crecer, recuerda que la inteligencia innovadora es colectiva, y que otro camino de crecimiento es rodearte de personas, colaboradores, socios, amigos y mentores diferentes a ti que te complementen y que juntos creen una mente más poderosa.

Cambiar tú y encontrar gente que te complemente no son caminos opuestos, sino sendas que se pueden recorrer al mismo tiempo.

Cada postura mental tiene un tono, una energía, una forma de ver el mundo radicalmente distinta; en las preguntas que te plantearé en cada una de estas posiciones trata de convertirte totalmente en otra persona, porque abrir nuevas autopistas en tu mente te ayudará a descubrir que en tu cerebro hay muchas más posibilidades de las que jamás imaginaste.

Explorador

◆

Descubrir nuevos universos y posibilidades

La cosa más ridícula que he visto es un gerente diciéndole a su equipo: "Hagan una lluvia de ideas, tienen 15 minutos para innovar la forma en la que vendemos". Lluvia de ideas por aquí y lluvia de ideas por allá, como si eso fuera a ayudarnos a encontrar una genialidad.

Si empiezas un proceso de innovación con una lluvia de ideas lo único que haces es meter en una licuadora las mismas ideas de siempre para hacer un batido de "pan con lo mismo".

Si un equipo de trabajo se reúne a hacer una lluvia de ideas para innovar cuando aún no ha explorado, lo que hace es revolver sus paradigmas.

Aquí sí importa el orden de los factores, porque para desarrollar la inteligencia innovadora lo primero es explorar, dedicarle tiempo y espacio a ver cosas que no estaban en nuestro mundo.

Muchas veces hemos escuchado el famosísimo "piensa fuera de la caja", y a lo que se refieren es a que salgamos de nuestro mundo conocido, por eso yo prefiero decir "piensa fuera de la cloaca", porque la mayoría de las respuestas las buscamos en la misma porquería de siempre, o sea, en nuestra cloaca conocida.

Pensar fuera de la caja sólo se puede lograr si primero te sales a explorar en lugares desconocidos, o sea, sólo puedes crear soluciones de otro nivel si te sales del tuyo.

Veamos un ejemplo muy sencillo: quieres bajar de peso, pero vas con los nutriólogos de siempre y platicas con las mismas personas, en "tu caja" bajar de peso no existe, simplemente no lo has vivido y experimentado.

Si adoptaras la posición de explorador, lo primero que harías sería investigar qué otros métodos hay, quién sí lo ha logrado, y entonces fuera de tu mundo cotidiano encontrarías opciones que ni te imaginabas.

Ahí te va otro ejemplo: tienes con tu pareja los mismos problemas que tenían tus papás, cada que se pelean se prometen cambiar, pero no pasa nada, ¿cómo podría pasar algo diferente si no han visto otros ejemplos, si el único modelo de pareja que tienen es la relación de sus padres?; es más, en el tema de la sexualidad, las parejas que no exploran *ni se exploran* terminan aburriéndose repitiendo los mismos métodos, respiraciones, atuendos, accesorios, posiciones, disculpas, excusas, y hasta los mismos gemidos y frases clichés desde que tenían 17 años, porque no han buscado fuera de su mundo. En realidad no nos aburrimos de nuestra pareja sino de nosotros mismos, de nuestra rutina y la falta de curiosidad para explorar; no es casualidad que la gente aburrida siempre encuentre parejas que le aburren, ¿no crees?, ¿cómo no se va aburrir de su pareja una persona que se aburre de sí misma?

Otro ejemplo más: un equipo empresarial pretende diseñar mejores estrategias comerciales, pero su marco de referencia sólo es la competencia, nunca se han puesto a investigar qué se está haciendo en otros lugares del mundo o en otras industrias, si bien decía el buen Beto Einstein: "Ningún problema puede ser resuelto desde el mismo nivel de conciencia que lo creó", es decir, no puedo innovar si mi punto de referencia *no pasa de mis narices*.

Por eso, en cuanto a la posición mental del explorador, ésta es la primera pregunta para tu situación o proyecto:

Si buscas donde siempre has buscado, quedarás atrapado en lo mismo.

LA PREGUNTA ◆	¿Qué hay que investigar para ampliar tu universo de posibilidades?, ¿qué límites externos o internos necesitas cuestionarte?
VIDA ◆	Para poder hacer mi viaje primero necesito investigar cuánto cuestan los vuelos y qué rutas podría tomar, si hay otras opciones para llegar ahí, o si hay otros lugares donde pueda encontrar lo que busco.
NEGOCIOS ◆	Bueno, creo que valdría la pena explorar qué es lo que hasta hoy no les ha gustado a nuestros clientes del servicio, qué es lo que nuestra gente cree al respecto, para de entrada ver si estamos en el mismo canal.
PAREJA ◆	Quizás habría que investigar qué otros métodos anticonceptivos existen, para tener una base antes de discutir.

Explorar se trata de buscar dentro y fuera de nuestro entorno conocido. Se trata de entender nuestra situación y al mismo tiempo encontrar ejemplos e información que nos hagan ampliar nuestra mente y tener más opciones.

Pero ¿qué características necesitamos tener para explorar?, ¿cuáles son las características para que tú y tu equipo realmente alcancen la posición de explorador?

MENTE PREGUNTONA

Primera característica de la posición mental del explorador

Cuando haces una pregunta abres posibilidades. Cuando respondes las cierras. Si en este momento tú le haces una pregunta a tu equipo y ellos te dan respuestas luego luego y en automático, no te están dando nada nuevo, sólo lo que ya traían en su mente. La idea de ser explorador es formular preguntas que

> *Cuando te hago una pregunta no quiero que me respondas, sino que te preguntes.*
> —Me dijo mi jefe (papá)

nos hagan pensar, no se trata de dar respuestas preconcebidas que nos hagan creer que ya tenemos la solución. Preguntar es la llave para que se abra la puerta de la innovación, pero cuando respondemos demasiado rápido saboteamos el proceso. Las personas que dan respuestas sin comprender el problema tienen una *disfunción innovativa* llamada *opinación precoz*.

Los opinadores precoces son aquellas personas que todavía no empieza la junta y ya tienen todas las soluciones de todas las cosas. No son innovadores porque como ya tienen todo resuelto no aportan nada nuevo. ¿Tú cómo andas?, a ver, haz esta autoevaluación:

AUTOEVALUACIÓN DE OPINACIÓN PRECOZ

Contesta del 0 al 5 qué tanto te identificas con estas frases. En donde 0 es: no me identifico para nada, 3: sí me identifico y 5: estoy totalmente identificado:

1) Suelo interrumpir en juntas y conversaciones, porque me ganan las ansias de opinar y dar mi solución: _____

2) Tiendo a hacer preguntas, pero en vez de dejar que el otro conteste, adivino su respuesta: _____

3) Regularmente voy a la acción demasiado rápido, porque siento que no hay tiempo de nada: _____

4) Cuando me entrevisto con personas, hablo más yo que los entrevistados: _____

5) Es común que haga como que escucho, pero yo ya tengo la solución en mi mente: _____

¿Cómo te fue?, suma tus respuestas, divídelas entre cinco y encontrarás tu índice de *opinación precoz*.

Si tu índice es de 0 a 2: ¡Felicidades! No eres *opinador precoz*, cuando las personas hablan contigo se sienten cómodas porque las escuchas y sus ideas fluyen, "soy tu fan", "vales mil" y haz favor de pasar al siguiente capítulo porque esta característica ya la exentaste.

Si tu índice es de 3 a 5: Padeces *opinación precoz*, sé que da vergüenza, pero no estás solo.

La *opinación precoz* no sólo afecta a la innovación, también deja insatisfecha y frustrada a la otra parte. Piensa lo difícil que debe de ser para tus compañeros que tú opines tan rápido, cuando ellos aún no han alcanzado ni a calentar. Peor aún será para tu pareja soportar a una persona que no se aguanta y por lo mismo no le deja hablar.

La buena noticia es que cada vez hay más avances científicos para acabar con este mal, y una cosa que se ha descubierto es que el secreto de la curación no está en aguantarse, porque el verdadero problema del *opinador precoz* es que se centra tanto en el objetivo que no disfruta preguntar, descubrir y explorar otros mundos. La paradoja es que por estar tan concentrado en el resultado *se viene muy pronto* con su idea.

Para el tema que nos atañe, la innovación, el problema del *opinador precoz* es que evita que el cerebro haga el trabajo de procesar, descubrir, desconectar y reconectar, porque vive en las ideas preconcebidas.

Cuando lanzas una pregunta el cerebro se activa, primero te da las respuestas preconcebidas, pero si resistes, te aguantas poquito y sigues adelante, el cerebro seguirá buscando; ¿a poco no te ha pasado que alguien te hace una pregunta y como no tienes una respuesta luego luego te llega por la noche o quizás hasta el siguiente día cuando te estás bañando y que ni siquiera pensabas en el problema? Es como si hacer una pregunta encendiera en personas y equipos la posibilidad de que nos suba energía al cerebro.

Preguntar y preguntar y preguntar hace que nuestro cerebro se cargue de la energía e información necesarias para procesar nuevas alternativas. Las alternativas abren el espectro de posibilidades, haciéndonos más divergentes, con un horizonte mucho más amplio que si vamos directo a la respuesta.

Pero ¿con cualquier pregunta nos sube agua al tinaco? O ¿qué tipo de preguntas hay que hacer para que esto funcione?

Me ha tocado acompañar equipos que tardan semanas en hallar las preguntas adecuadas, pero que una vez que encuentran la pregunta las respuestas caen por su propio peso. Nuestro amigo Beto Einstein decía que si le daban 24 horas para resolver un problema él se tardaría 23 horas buscando la pregunta correcta y ya en la última hora encontraría la solución.

> Una pregunta invita... Y las ideas llegan a la fiesta.
> —Salvador Ruvalcaba

Por el contrario, también he visto equipos que no encuentran soluciones y que por muy creativos que sean, si la pregunta no es adecuada no llegan a ningún lado.

Por eso, antes de hacer una lluvia de ideas hay que hacer *una lluvia de preguntas.*

¿Cuáles podrían ser en tu proyecto las preguntas más importantes?

La pregunta del millón

Ahora sabes que hacer preguntas es muy importante para abrir un canal para nuevas ideas, pero déjame compartirte cómo hacer preguntas del millón, o sea, el tipo de preguntas que nos sacan de la cloaca y que en automático nos ayudan a ver que existen muchas más posibilidades de las que en *nuestro mundito* habíamos creído.

Cuando acompaño a un equipo en un proyecto comienzo por trabajar con ellos en encontrar cuál es la pregunta del millón, *porque este tipo de preguntas:*

- ✓ Orientan nuestra búsqueda.
- ✓ Abren panoramas.
- ✓ Activan la mente para los desafíos a enfrentar en el proyecto.

La primera característica de las preguntas del millón es que son preguntas abiertas, porque si haces preguntas cerradas ya estás encasillando; por ejemplo, ¿se podría vender el doble? Si te fijas, la pregunta te lleva a un "sí" o un "no"; sí se puede vender el doble o no se puede y punto: ¡no hay más!

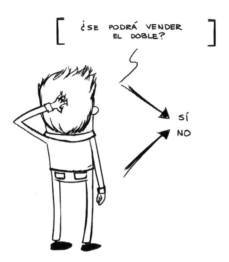

Pero si cambias la pregunta a "¿cómo podríamos vender el doble?", ya estás provocando que suba agua al tinaco, porque además estás dando por hecho que es posible, no estás preguntando si se puede, sino "cómo podríamos".

Las preguntas abiertas, como su mismo nombre lo dice, abren y por lo mismo son divergentes. Y esta primera posición mental del explorador es para abrir, para salir a nuevos mundos, no para ser convergente, o sea, definir lo que queremos hacer.

Ser convergente al inicio de un proyecto no nos permite ampliar posibilidades. Y con esto no estoy diciendo que ser convergente sea malo, absolutamente no lo es, ya verás que es muy útil, pero en otro momento y en otra posición que descubrirás más adelante, por el momento utiliza preguntas del tipo: ¿cómo podríamos?, ¿qué otras alternativas?, ¿de qué otras formas?, porque en la posición de explorador el chiste es abrir y abrir y abrir, se trata de un *split* intelectual.

Ejemplos de preguntas convergentes y divergentes:

PREGUNTA CONVERGENTE (cerrada implica como respuesta un sí o no)	PREGUNTA DIVERGENTE (abierta)
¿Te gustó?	¿Cómo te sentiste?
¿El mercado es grande?	¿Cómo podríamos venderle más a los mismos clientes?, ¿qué clientes no estamos viendo?
¿Es alto nuestro nivel de desperdicio?	¿Cómo podríamos hacer negocio con el desperdicio?

Las preguntas cerradas sirven para comprobar nuestras hipótesis: "¿Verdad que la rotación es alta por nuestra ineficiencia?" Fíjate cómo la pregunta parte de un juicio y lejos de explorar lo único que puedes hacer es confirmar o negar; en cambio si preguntas: "¿Qué factores tienen que ver con nuestra rotación?", "¿qué empresas no tienen rotación y qué están haciendo?", pondrás en el mapa nuevas posibilidades.

Imagínate a una pareja que acaba de hacer el amor y ella percibió que no fue con el mismo entusiasmo que hace años, entonces ella piensa: "Mi proyecto de innovación es reencender la calentura", y le empieza a hacer preguntas. Si hace preguntas cerradas sólo corroborará sus jaladas mentales.

"¿Verdad que has notado que mi cuerpo ha cambiado?, ¿que ya no quieres estar conmigo?, ¿verdad que ya no me amas?, ¿verdad que tienes otra mujer porque eres como todos los hombres?"

En cambio si hace preguntas abiertas explorará y encontrará otros caminos: "¿Cómo estás sintiendo nuestra relación?, ¿cuáles son tus expectativas?, ¿qué te hace falta que experimentemos juntos?, ¿cómo otras parejas han resuelto esto?", y una vez que explore podrá tener opciones más enriquecedoras.

La segunda característica de las preguntas del millón es que deben poseer un alcance adecuado, según a lo que queremos llegar, porque como dice el viejo y conocido refrán: "Ten cuidado con lo que preguntas porque la respuesta podría ser concedida", o algo así.

No es lo mismo preguntarse "¿cómo bajo de peso?" a "¿cómo llego a mi peso ideal?", o "¿cómo me mantengo sano y delgado?", porque cada pregunta lleva a mi mente a diferentes mundos. No es lo mismo "¿cómo vendo más?" que "¿cómo duplico mis utilidades?" o "¿cómo tenemos una relación satisfactoria?" que "¿cómo construimos juntos una borrachera de placer?"; en toda pregunta está implícito lo que quieres. Entonces en tu proyecto ¿cuál es el alcance?, ¿hasta dónde realmente quieres llegar?[1]

Plantéate el alcance en tres diferentes niveles, por ejemplo:

---

[1] En la primera parte, en el capítulo "¿Cómo saber que ya innové?", te planteaste qué quieres, pero ahora amplías para dejar claro hasta dónde, o sea, cuál es el alcance.

NIVEL	PREGUNTA DIVERGENTE CON ALCANCE INCLUIDO
1) FRÍGIDO-CASI REVOLCADO	¿Cómo le hago para que mi negocio no desaparezca este año?
2) MODERADO-SURFISTA	¿Cómo le hago para convertirme en un caso de éxito?
3) ORGÁSMICO-CREADOR DE OLA	¿Cómo revoluciono la industria en la que estoy?

Ahora aplícalo en tu proyecto o situación:

NIVEL	PREGUNTA DIVERGENTE CON ALCANCE INCLUIDO
1) FRÍGIDO-CASI REVOLCADO	
2) MODERADO-SURFISTA	
3) ORGÁSMICO-CREADOR DE OLA	

La tercera característica de las preguntas del millón es integrar el desafío, el obstáculo, esa situación que tú o tu equipo han visto como el azote o la bestia negra de su proyecto.[2]

Mira, vámonos al ejemplo más sencillo, el desafío más común con el que yo me encuentro en muchísimas empresas es: "No hay lana".[3]

---

[2] En la primera parte, en el capítulo "¿Cómo saber que ya innové?", te planteaste cuál era tu reto u obstáculo, lo interesante es que en la pregunta del millón lo integres a una interrogante que te abrirá el panorama.

[3] Significa que no hay presupuesto o que no hay plata.

Pero en lugar de comprar la historia y resignarse por la falta de billete, el explorador crearía preguntas de este tipo:

¿Cómo podemos lograr nuestro objetivo *sin presupuesto*?

Ésa es la fórmula de las preguntas del millón:

Pregunta divergente + Alcance + Desafío = Millones al cubo

$$Pd + A + D = M^3$$

La pregunta divergente encamina al cerebro a buscar soluciones y que suba agua al tinaco. El alcance pone a nuestra mente en el horizonte que queremos lograr e integrar el desafío en esta fórmula en automático mata la creencia de que es imposible.

Es momento de chambearle, de que tú y tu equipo le dediquen el tiempo necesario a encontrar las preguntas del millón. Esas preguntas divergentes que activan la inteligencia innovadora.

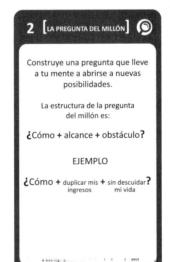

2 [LA PREGUNTA DEL MILLÓN]

Construye una pregunta que lleve a tu mente a abrirse a nuevas posibilidades.

La estructura de la pregunta del millón es:

¿Cómo + alcance + obstáculo?

EJEMPLO

¿Cómo + duplicar mis + sin descuidar?
          ingresos   mi vida

Cuando encuentras una buena pregunta, las ideas se vienen solas.

Ya que tú y tu equipo tienen la(s) pregunta(s) del millón para su proyecto es bueno que se replanteen:

¿Qué es necesario investigar?, y ¿en dónde hay que buscar?, porque como te lo comenté, la pregunta del millón es el punto de referencia que orienta a los exploradores. Si el alcance tiene que ver con revolucionar el mercado, ¿qué hay que investigar?, si el desafío es lograrlo sin presupuesto, habría que explorar qué otro tipo de recursos tenemos.

En general, en cualquier momento del camino puedes tomar como referencia la pregunta del millón, a veces para replantearte lo que estás haciendo y otras para modificar la pregunta en función de lo que has descubierto.

MENTE DE MARCIANO

Segunda característica de la posición mental del explorador

Un día llegó mi hija y me comentó que su maestra de primero de primaria le había dicho que ya no preguntara tanto, ya te imaginarás que lo primero que hice fue un pinche megacoraje; ¿cómo es posible que a un niño le pidas que no pregunte sólo porque no tienes paciencia o porque tienes miedo de no saber la respuesta?

Pienso que no es importante que un maestro les dé respuestas de conocimiento a los niños. Hoy en día lo que sobra es dónde encuentren la información. El chiste de ser un buen maestro, padre o líder es mantener la llama de la curiosidad, la respuesta vale gorro; por eso, ya que se me pasó el berrinche me puse a formular preguntas:

¿Cómo mantengo la *preguntosidad* de mi hija con todo y el sistema educativo actual?

¿Cómo abro nuevas posibilidades a partir de esta dificultad?

¿Cómo re-despierto mi propia *preguntosidad* fomentando la de mi hija?

Nacemos siendo grandes exploradores; piensa en un niño, ¿cómo explora?, ¿has visto cómo observa las cosas, pregunta para qué sirven, cómo funcionan y hasta las desarma para descifrar su funcionamiento? El mundo del adulto funciona al revés, halagamos al güey que sabe, y el güey que sabe para que lo sigamos halagando finge que sabe y en el camino pierde su *preguntosidad* natural.

Cuando dejas de ser explorador es cuando pierdes
la capacidad de sorprenderte.

Sólo los niños, los principiantes y los marcianos son capaces de ver el planeta Tierra sin prejuicios. Por eso, la segunda característica de la posición mental del explorador es abordar los proyectos como si fuéramos un marciano recién llegado de su helado planeta y que se pregunta "¿cómo funciona esto?, ¿para qué lo hacen estos terrícolas?, ¿de qué otra forma se podría hacer?"

Cuando adoptas la postura y realmente te crees un marciano, conocer y descubrir te va llenando el alma. Porque ver el mundo desde la mirada de un extraterrestre es una postura ideal para observar esas soluciones sencillas y poderosas que se han vuelto invisibles para los terrícolas sabelotodo. Y más allá de que logres o no innovar, tu nivel de plenitud es altísimo, porque te permites sorprenderte con las cosas más simples. Los orgasmos intelectuales sólo los tienen aquellos que son capaces de volver a leer un libro y sentir como si fuera la primera vez, mientras que la gente que ha perdido a su marciano interior está totalmente orgullosa de lo que sabe y no de su curiosidad: ¿a poco no es una chinga trabajar con personas a las que ya nada les sorprende?, terrícolas que como ya visitaron dos ciudades del mundo sienten que lo han visto todo, o peor aún, ni siquiera han salido de su ciudad pero un adivino les dijo que ellos en otras vidas ya habían sido reyes de muchos lugares, y con eso interpretan que ya no tienen nada que aprender, que si acaso vienen a este planeta es a recordar. Por el contrario hay personas que han viajado por el mundo entero y se siguen sorprendiendo porque siguen siendo niños-principiantes- marcianos descubriendo el planeta Tierra.

En su libro *El código cultural*, Clotaire Rapaille, mejor conocido como el mercadólogo oscuro, nos dice que él tiene una técnica de investigación: convence a las personas que entrevista para que jueguen su juego. Les dice que es un marciano que viene a la Tierra y que no entiende nada de nada, y las personas le explican las cosas desde cero, así puede encontrar información muy valiosa, paradigmas y códigos, porque no da nada por hecho.

A ver, terrícolas, ¿por qué usan esos artefactos que sacan humo por la colita?, ¿qué rol juegan en su vida?, ¿qué dificultades les traen?, ¿qué simbolizan para ustedes?, ¿qué les haría falta que tuvieran?

Cuando estés explorando, juega el juego de ser un marciano, ya verás que los terrícolas te sorprenderán. Por cierto, como juego sexual, jugarle al marciano también es muy divertido, ¿no se te antoja?, se trata de jugar a que no conoces a tu pareja y preguntarle ¿cómo te llamas?, ¿que te gusta?, ¿cuáles son tus fantasías?, ¿para qué sirve esto o lo otro?; esto te permitirá volver a sorprenderte y hacer el amor como una exploradora-principiante-marciana.

Nada más triste que hacer el amor con tu pareja como si leyeras el mismo libro por enésima vez, todo porque dejaste de ser explorador, y al dejar de serlo nos convertimos en personas apáticas que dejan de disfrutar la vida. Piensa en una persona que va a cualquier restaurante y se deja sorprender por los olores y sabores, o en alguien que sigue sorprendiéndose con un beso o con el contacto de la piel; de hecho el sadomasoquismo no es gusto por el dolor, sino que nos habla de personas que han perdido la sensibilidad, como el que traga tanto chile que cuando la comida ya no tiene chile no le sabe a nada porque su paladar está insensibilizado, o como el que ha dejado de sentir una caricia y necesita un rasguño doloroso para darse cuenta de que está vivo, o como el que ve cómo maltratan a un perro en la calle y dice: "Eso no es nada, ni se asombren, hay gente que está muriendo de hambre en otros lugares". No por nada Edison no contrataba gente que le pusiera sal a la comida antes de probarla, porque pensaba que quien le pone sal a la comida sin probarla está exhibiendo que es una persona prejuiciosa, porque aún no prueba las cosas y ya les está alterando el sabor.

Con lo que hemos dicho hasta ahora, una primera aproximación a la posición mental del explorador sería la de un preguntón, curioso, con capacidad de sorpresa, apasionado por descubrir cosas nuevas, que no ha perdido la esencia de principiante. Y habiendo en este mundo tanto güey insensible, prejuicioso, *opinador precoz* y sabelotodo, la descripción que te acabo de dar ¿a poco no parecería la de un marciano?

Con respecto a tu proyecto:

¿Qué cosas te despiertan curiosidad?, ¿hacia dónde apunta tu *preguntosidad*?

Para explorar como marciano es muy importante separar lo que exploras de tus prejuicios, porque:

Las personas normalmente confundimos los hechos
con nuestras opiniones.

Algo muy práctico que podemos hacer mientras exploramos para nuestros proyectos es separar las cosas que suceden de lo que opinamos. Por ejemplo, si tu pareja hace el amor con mucho vigor, eso es un hecho; que lo haga porque tú estás muy guapo sólo es una especulación tuya, habríamos de preguntarnos: ¿qué tal que mientras lo hace está pensando en alguien que realmente sí está guapo? Si separas hechos de opiniones te será más fácil tener mente de marciano.

Aplica la pregunta a tu proyecto:

3 [HECHOS vs ESPECULACIONES] ⊚

Con respecto a esta situación:

¿Cuáles son los hechos?

¿Tú qué sientes?

Y, ¿cuáles son tus especulaciones?

© Liderazgo Quántico. Todos los Derechos Reservados. 2015

Los problemas casi nunca están en los hechos, sino en la interpretación que les damos.

Aquí primero te pongo los ejemplos:

	Descripción	¿Cuáles son los hechos	¿Tú qué sientes?	¿Cuáles son tus especulaciones?
VIDA	He pospuesto más de 10 años mi sueño.	Tengo 15 años trabajando en una compañía mediana.	Miedo y frustración.	Que ya me acostumbré al sueldo y cada vez me cuesta más trabajo tomar la decisión de emprender.
NEGOCIOS	En la reunión financiera del pasado martes nos dieron los reportes de crecimiento del año.	El hecho es que el mercado es 20% más grande que hace cinco años y nosotros sólo hemos crecido 2 por ciento.	Frustración.	A veces pienso que somos unos idiotas y a veces que tanto éxito en el pasado nos hizo daño.
PAREJA	Mi pareja ya se puso muy insistente con lo de la maternidad.	El hecho es que mi novia me dijo que quiere ya un bebé. Y el hecho es que me lo dice más de dos veces por semana.	Miedo cercano a pánico.	Que estamos muy jóvenes, apenas cumpliremos 45.

Ahora aplícalo a tu situación:

PROYECTO O SITUACIÓN	DESCRIPCIÓN	¿Cuáles son los hechos	¿Tú qué sientes?	Y, ¿cuáles son tus especulaciones?

Imagina que eres un marciano recién llegado a la Tierra, pero que no quieres saber cómo se llaman las cosas, sino para qué sirven; no te quieres casar con el nombre que los humanos le pusieron a un artefacto, sino que quieres descifrar cuál es su función, para qué lo usan, qué necesidad está cubriendo, porque tú como buen marciano sabes que los humanos le ponen nombre a las cosas y luego se casan con su idea y les cuesta mucho después ver las cosas más allá de las etiquetas con las que las nombran.

Ya verás que te va a ayudar mucho jugar al juego de quitarle el nombre a las cosas, para poder entender cómo funcionan…

¿Juegas?

¿Qué te parece si primero hacemos el juego con algún objeto que nada tenga que ver con tu proyecto y luego aplicas la técnica en tu situación?

Pensemos en este objeto:

Me imagino que lo viste e inmediatamente le pusiste nombre. Porque tu mente y la mía han aprendido a decir los nombres para identificar las cosas y eso es muy práctico para la vida cotidiana, pero en el mundo de la innovación nos mete en la cloaca. Mejor acuérdate que vienes de Marte, imagina que tienes otro tipo de piel, otra cantidad de ojos y que no tienes idea de cómo se llama esa cosa.

Entonces haces una investigación y les preguntas a los terrícolas tres cosas:

1) ¿Para qué sirve?
2) ¿Qué nos ayuda a evitar?
3) ¿Cuál es su trascendencia?

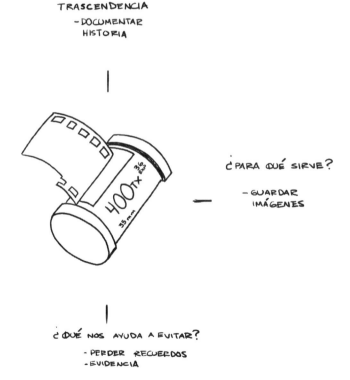

TRASCENDENCIA
– DOCUMENTAR
HISTORIA

¿PARA QUÉ SIRVE?

– GUARDAR
IMÁGENES

¿QUÉ NOS AYUDA A EVITAR?
– PERDER RECUERDOS
– EVIDENCIA

Si te fijas, lo importante no es "la cosa", sino para qué sirve, cuál es el trabajo que hace para nosotros, qué nos ayuda a evitar y qué beneficios trascendentes podemos obtener. Luego *podemos cambiar la cosa por otra cosa*, ya que lo importante es que la nueva cosa cubra mejor nuestras necesidades:

Cuando descubres los "para qué", dejas de aferrarte a las cosas y abres tus ojos a nuevas alternativas.

Los "para qué" te muestran las necesidades profundas. Las cosas son sólo la forma en que temporalmente logramos solucionar esos "para qué".

Aún así hay gente que se casa con una posición sexual o con la idea de ir de vacaciones a algún lugar específico o con una marca o un proceso, pero el explorador es el que se atreve a preguntarse como un marciano curioso: "¿Para qué lo hacemos así?", "¿cuál es en el fondo la función y la trascendencia de esta cosa?"

Atrévete a hacer este ejercicio con alguna cosa con la que estás bien casado, ya sea una marca, un lugar, una costumbre o una idea:

Algo muy importante para aplicar esta técnica es que escribas cada "para qué" con un verbo más un sustantivo, porque los verbos hablan de la función de las cosas, no de sus etiquetas, por ejemplo:

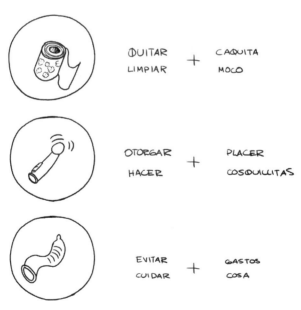

Los terrícolas les hemos puesto nombres a las cosas por diferentes circunstancias, pero bien podríamos rebautizarlas con la función que desempeñan. Por ejemplo, un papel de baño puede ser un "limpiacolita" o un vibrador puede ser un "otorgaplacer".

Para ponerte en posición de explorador ten siempre en tu mente las preguntas: ¿para qué sirve esta cosa?, ¿cuáles son sus funciones?, ¿qué necesidad está cubriendo?

Si mantienes este enfoque te será muy fácil encontrar nuevas formas más económicas o placenteras de cubrir necesidades:

4   [NECESIDADES]

En el contexto de tu situación:

¿Qué necesidades no están cubiertas?

¿Qué necesidades podrían no estar ni descubiertas?

Los grandes negocios consisten en cubrir una necesidad hasta entonces desconocida.

© Liderazgo Quántico. Todos los Derechos Reservados. 2015

LA PREGUNTA ◆	¿Qué necesidades no están cubiertas?, ¿qué necesidades podrían no estar ni descubiertas?
VIDA ◆	Bueno, aquí mi necesidad es sentirme realizado y no está cubierta, porque invierto más tiempo en quedar bien con mis papás, suegros, tíos, primos, cuñados, mascotas, vecinos, metiches... que en lo que me apasiona.
NEGOCIOS ◆	Bueno, aquí está claro que la necesidad que no está cubierta es la de darle a los clientes un servicio rápido.
PAREJA ◆	La necesidad no resuelta es que mi pareja no se siente escuchada, pero la necesidad no descubierta (o más bien no aceptada) es que ambos necesitamos pasar menos tiempo juntos. Necesitamos más espacio lejos para que luego nos dé gusto estar juntos.

MENTE VISUAL

Tercera característica de la posición mental del explorador

Piensa en una junta donde te piden que expliques lo que has explorado sobre tu proyecto. Tú llegas y despliegas un texto de 100 páginas en Word, en donde explicas quiénes son los clientes, qué quieren, qué modelos hay fuera de la cloaca, pero por muy buena que esté tu investigación, lo único que inspirará será un poco de flojera.

Para poder sacarle provecho a lo que exploras es muy importante desarrollar tu mente visual, porque esa característica te ayuda a conectar, entender y comunicar lo que vas descubriendo. Vivimos en un mundo con un serio problema de atascamiento de información que quien no sabe sintetizarla termina por perderse en mares y mares de datos.

Como esos cuates que han ido a un chorro de cursos de innovación, han leído otro tanto de casos de éxito y libros, pero todavía no tienen idea de qué han aprendido. Es como si no hubieran digerido una comida demasiado vasta. La mente visual es la enzima que te permite desdoblar y sintetizar lo que has investigado en tu exploración. Un equipo sin mente visual en un proyecto de innovación es como una persona que come y come pero no asimila nutrientes. He visto equipos sufrir por la congestión de datos, porque les da una especie de "mal del puerco intelectual"; en mi ciudad le llamamos mal del puerco a ese sueño pesado que da después de comer abundantemente, como los cerditos que dedican 80% de su tiempo a dormir y descansar.

En cambio, cuando sabes sintetizar visualmente puedes compartir y conectar miles de datos en una sola imagen, y luego tú y tu equipo pueden jugar con esos datos para crear soluciones creativas.

Vamos entrando en calor. Haz una síntesis del planteamiento de tu proyecto y luego te compartiré cómo puedes estimular y desarrollar la mente visual.

Tu cabeza es el espacio perfecto para enmarañar situaciones. Saca el problema de tu mente, ponlo en una imagen. Encontrarás soluciones.

Aquí te pongo algunos ejemplos para que luego tú hagas ese pequeño boceto en el que plantees visualmente la situación de tu proyecto.

> *Sintetizar es ahorrar en detalles, no en ideas.*
> —Mauricio Tenorio

Zoom out y zoom in

Si te fijas, cuando haces un pequeño esquema las palabras o los dibujos que pones en el boceto son claves que en sí mismas contienen mucha información, y esto le permite a tu mente, con pocas palabras y figuras, tener un panorama de la situación.

Entre más sintetizas, más pones distancia con la situación; es como si tu mente fuera una cámara que hace *zoom out* o alejamiento. Para ser un buen explorador hay que practicar mucho el volverte dueño de tu cámara, alejarte para ver el panorama completo y luego acercarte o hacer *zoom in* para ver los detalles importantes y luego regresar al *zoom out* para no perder la orientación.

Cuando haces *zoom out*, lo que ganas es perspectiva y claridad, porque cuando ves las cosas desde lejos te sientes menos presionado; es como cuando pasaron algunos años de algún evento muy difícil en tu vida y a la distancia te parece que no era tan grave, pero en el momento en que surge el problema, si estás en *zoom in*, es muy fácil estresarte porque estás viendo las cosas de muy cerca:

Lo chingón de ser un buen explorador es que no necesites que pasen 10 años para poder ver las cosas desde lejos, ya que de forma voluntaria puedes poner una distancia que te permita relajarte. Por eso, una de las prácticas que más me gustan de la posición de explorador es usar toda una pared para plantear las cosas que voy analizando; al ver las cosas en la pared, lejos, puedo sentirme fuera del problema.

Al que se le mete una idea a la cabeza se vuelve loco. Las ideas no deben meterse en la cabeza, sino salir de ella. Salir corriendo, fugitivas. La cabeza no es una madriguera.
—José Bergamín

Este ejercicio lo puedes hacer en situaciones personales o de equipo. Aplícalo a tu proyecto:

Kasparov dijo: "El mejor ajedrecista es el que ve el tablero completo", ¡y dijo bien!

LA PREGUNTA ◆ ¿Qué observas en el panorama global?
VIDA ◆ Visto desde lejos, parece ser un problema pasajero que se resolverá cuando lo platique con mi compañero.
NEGOCIOS ◆ Visto desde lejos, el proyecto tiene mucho sentido, porque en cinco años éste será el negocio del futuro.
PAREJA ◆ Si lo veo con distancia, parece que estamos ahogados en un vaso de agua y nadando en dirección contraria a la salida.

Cuando quieras hacer *zoom out*, al elaborar notas usa formatos horizontales, porque te llevan a poner la mente en una posición más panorámica y divergente, lo cual ayuda a abrir posibilidades y observar, más que a actuar como sería en un formato vertical y convergente.

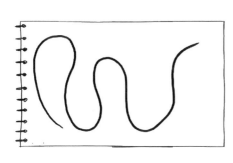

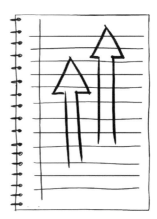

Ya sea que utilices una *tablet* con una aplicación para dibujar o un cuaderno de hojas blancas, lo importante es que cuando estés explorando para desarrollar tu mente visual hagas mapas, esquemas y dibujos, porque con esa posición mental estás llevando a tu cerebro a ser explorador.

He visto personas que compran cuadernos de dibujo para hacer apuntes pero los utilizan como si fueran cuadernos de rayas o cuadriculados; vieras qué bonita y derechita hacen su letra, pero no les sirve de nada, porque es como si su mente estuviera en Word cuando en este caso necesitan un *software* para ilustrar su visión de la realidad.

Más que la tecnología o el cuaderno que usemos, lo importante es que sepamos sacar nuestro cerebro del cuadrito. Para explorar no se necesita ser campeón de dibujo ni tener bonita letra, sino atreverse a representar la realidad en hojas blancas y de forma más divergente.

¿Y esto que tiene que ver con el sexo? Cuando haces *zoom out* lo que propicias es alejarte, disociarte, salirte de la realidad; hacer *zoom out* no es la mejor práctica para disfrutar tu sexualidad sino para salirte de los problemas en los que estás atrapado; cuando haces el amor lo más rico es el *zoom in*. Literalmente, meterte en la realidad.

Hay situaciones en las que vale la pena observar con distancia (problemas) y otras (como el sexo) en las que hay que explorar la realidad en primera fila.

No me imagino haciendo el amor y diciendo: "Quiero estar a 10 metros de distancia viendo desde fuera de mi cuerpo para analizar con objetividad", ahí de lo que se trata es de abandonarte al momento.

Cuando exploras hay que hacer *zoom out* para ver el panorama global, pero también hay que hacer *zoom in* para experimentar la realidad desde dentro.

Puedes dedicar un tiempo a observar desde fuera las reacciones de tus clientes, pero también irte de cliente misterioso[4] para experimentar qué se siente vivir la experiencia de ir a tu negocio.

Puedes realizar una búsqueda en navegador para hacer un *zoom out* de algún tema, pero también leer un libro completo para hacer *zoom in*.

El *zoom out* te disocia, te aleja y te da perspectiva, mientras que el *zoom in* te asocia, te acerca y te da la experiencia.

A una mente que sólo hace *zoom in* le cuesta comprender la situación de forma global, pero una mente que sólo hace *zoom out* y no profundiza es superficial.

¿Qué actividades requieres hacer para obtener una visión panorámica de tu proyecto y qué otras necesitas experimentar para enriquecer tu vivencia de la situación?

Lo importante es que un explorador es dueño de su lente. Sabe alejarse y acercarse para comprender mejor su proyecto y su realidad.

---

[4] Es una técnica para evaluar la calidad en la atención al cliente. Los clientes misteriosos actúan como clientes normales que realizan una compra y luego reportan cómo fue su experiencia; pero en este caso la propuesta de ser cliente misterioso no es para evaluar sino para comprender lo que siente un cliente.

Actividades que generan zoom out *(alejamiento)*

✓ Levantar la cabeza e imaginar que en el horizonte está la situación (pruébalo un instante).
✓ Dibujar.
✓ Alejarte físicamente de lo que estás explorando.
✓ Imaginar que ha pasado tiempo.
✓ Utilizar objetos para representar las cosas fuera de la cabeza.
✓ Las herramientas LQ.[5]

---

[5] Las herramientas LQ son un conjunto de juegos que diseñé junto con mi equipo y que utilizo en mis *workshops* de innovación para que las personas vean la realidad de sus proyectos y situaciones desde fuera.

Actividades que generan zoom in *(acercamiento)*

✓ Pensar en tu proyecto volteando hacia tu ombligo (prueba unos instantes).

✓ Poner tu enfoque en los detalles.

✓ Leer las letritas chiquitas.

✓ Profundizar con más preguntas.

✓ Acercarte físicamente para ver las cosas a detalle.

✓ Imaginarte que estás dentro de las cosas; por ejemplo, ¿qué se sentirá ser mi producto?, quizá me sienta apretado y eso reflejo, tal vez estoy flácido y me falta sustancia: ¡métete al problema y habla desde ahí!

✓ Leer libros ayuda a hacer *zoom in.* Además de libros técnicos o de divulgación, cuando leemos novelas podemos profundizar en la estructura emocional de un personaje y desde ahí explorar otras realidades. Si vas a una ciudad y checas la guía de turistas estás en *zoom out,* pero si lees documentos históricos o novelas localizadas en ese lugar estás haciendo *zoom in.* Cuando fui a estudiar un curso de creatividad a Barcelona se me ocurrió leer algunas novelas y otros textos relacionados con la ciudad, y mi experiencia fue orgásmica. Antes ya había estado en Barcelona, pero la había visto con ojos tan superficiales como los de un turista; después de leer *La catedral del mar*, *Victus*, *La sombra del viento*, Gaudí y un libro sobre la historia de Pep Guardiola, pude experimentar la realidad de otra forma, me sentí un explorador de la ciudad, no un turista.

Por supuesto que hacer *zoom out* nos permite tener una mente clara, pero eso no le resta importancia a profundizar en el *zoom in*, porque si no acabas siendo un espectador que da una pasadita tan superficial de información que no alcanza a descubrir los detalles finos que harán la diferencia. Un explorador siempre tiene presentes cuáles son los detalles en los que necesita adentrarse.

Con respecto a tu proyecto o situación en la que quieres innovar:

7 [ZOOM IN]

Acerca tu mirada.

¿Cuáles son los detalles a los que hay que poner especial atención?

© Liderazgo Quántico. Todos los Derechos Reservados. 2015

No se trata de definir si es más importante ver las cosas de lejos o cerca, sino de tener la flexibilidad de moverte de una percepción a otra.

LA PREGUNTA ◆	¿Cuáles son los detalles a los que hay que poner especial atención?
VIDA ◆	Aparentemente todo va bien, pero si sigo sin poner atención en el tema del equilibrio en mi vida y el manejo de mis emociones, tarde o temprano voy a tronar. Voy a hacer *zoom in* en mi estado de salud.
NEGOCIOS ◆	Aunque el negocio está bien planteado, si no resolvemos los detalles de programación de software de nada nos servirá la estrategia. Además, si los acuerdos con los proveedores no son buenos, por mucho éxito que tengamos no habrá utilidades.
PAREJA ◆	El tema de que no escucho a mi pareja es un pequeño detalle que está creando un gran problema. Justo mi problema es que no presto atención a los detalles.

Además de hacer bocetos, dibujar y ver el mundo en *zoom out* y *zoom in*, otra forma para desarrollar la mente visual es hacer analogías, porque hablar en lenguaje metafórico es un camino para ver la realidad.

Una buena analogía nos ayuda a comprender y comunicar lo que estamos explorando.

Por ejemplo, el otro día me tocó ver a un ejecutivo que planteaba así su problema:

De esta forma un director les explicaba a los dueños de la empresa la problemática en la que era urgente invertir porque el crecimiento en ventas estaba rebasando la estructura de soporte.

Cuando te explicas algo con una metáfora vas asociando y condensando información para que a tu mente le suba agua al tinaco en ese lenguaje paralelo. Cuando este director le planteó la problemática a su equipo, ellos inmediatamente pensaron: "¿Cómo podemos fortalecer las piernas de la empresa?, ¿qué hacemos para que el crecimiento no nos destruya la cadera?", porque en el mismo momento en que armamos la metáfora, el cerebro se va a un mundo paralelo en el que no existen los bloqueos mentales que hay en el mundo "literal".

LA PREGUNTA ◆ ¿Cómo plantearías esta situación en una analogía?

VIDA ◆ Ahorita me siento como un león salvaje en una jaula de circo.

NEGOCIOS ◆ Somos como un enorme árbol plantado en una macetita, o sea, mucho potencial con muy poca estructura.

PAREJA ◆ A veces uno es gato y a veces un ratón.

Hasta ahora hemos dicho que la posición mental del explorador tiene tres características:

1) Mente preguntona: que provoca que suba agua al tinaco, comenzando con "la pregunta del millón".
2) Mente de marciano: para ver la realidad como si no fuéramos de este mundo, como principiantes.
3) Mente visual: para desarrollar la capacidad de bocetar lo que exploramos para ver el panorama de forma global, a detalle y metafóricamente.

Ahora, si ya estás desarrollando tu mente preguntona, tu mente de marciano y tu mente visual, la pregunta es: ¿en dónde buscar?, ¿en dónde exploran los innovadores?

¿EN DÓNDE EXPLORAN LOS INNOVADORES? EN EL FUTURO

Cuando estaba haciendo la *app* Tu Coach para Innovar, conocí a Ricardo Carbajal,[6] un loco que decidió apostarle a nuestro proyecto; con él siempre he tenido pláticas muy enriquecedoras. Hace 40 años Ricardo quería hacer un colegio innovador mo-

---

[6] Socio fundador del instituto Thomas Jefferson, organismo vanguardista que tiene un centro de innovación donde hoy se desarrollan nuevos conceptos y metodologías para la educación del futuro.

tivado porque no hallaba dónde meter a sus hijos a la escuela, ninguna institución lo convencía porque los métodos le parecían arcaicos y sólo provocaban que los niños memorizaran y le dijeran que sí al maestro; ¿de qué forma le iba a servir eso a sus hijos para enfrentar la vida fuera de la escuela? Entonces Ricardo y su esposa emprendieron la aventura de crear una escuela. Me cuenta que junto con su equipo se reunían a conversar:

¿Cómo tenemos que educar hoy a los niños,
que serán adultos dentro de 20 años?

Y fue así que entre otras cosas les empezaron a enseñar a los niños tonalidades de mandarín cuando China todavía no pintaba en el mapa macroeconómico, pero Ricardo y su equipo no estaban explorando en el presente, sino en el futuro. Exploraron acerca de macrotendencias y desde esa perspectiva diseñaron su modelo.

Lo que yo descubro con la experiencia de Ricardo es que si quiero ser innovador primero puedo empezar por explorar en el futuro y preguntarme hacia dónde va el mundo en el campo de mi negocio o de la situación en la que quiero innovar.

Por supuesto que voy a tener que especular, pero combinando investigación e imaginación puedo adelantarme a la ola. En cualquier proyecto que estés, date tiempo de explorar las tendencias y usar tu imaginación para especular qué viene.

Si tienes un restaurante, ¿cómo será el negocio de la gastronomía en los próximos años? Si quieres mejorar tu relación de pareja, ¿cómo podrá llevarse bien una pareja en las condiciones del mundo futuro?

A mí me gusta imaginar que se me aparece el buen Julio y que converso con él:

Julio Verne es mi modelo de un explorador del futuro. Imagínate nada más que en la novela *París en el siglo XX*, que escribió en 1863, ya profetizaba la idea de internet, pero faltaba más de un siglo para que fuera una realidad[7].

Esa habilidad de especular sobre el futuro tenía mucho que ver con que cuando de niño quiso escapar de su casa, su papá lo descubrió y le dijo: "Jamás viajarás, sólo lo harás en tu imaginación", y mira qué obediente salió el buen Jules.

A partir de esta idea se me ocurrió imprimir la imagen de Julio Verne en tamaño grande, casi como un maniquí, y ponerla en algunas conversaciones con los equipos que acompaño a innovar. Lo que hacemos es preguntarle a Julio: "¿Cuál es la tendencia en esta situación?", y a los grupos les es fácil soltar la imaginación a partir de la fantasía que les genera ese pedazo de cartón.

---

[7] Hasta 1994 se publicó *París en el siglo XX*.

Entonces, es cuestión de que tú y tu equipo jueguen a conversar con Julio Verne y le dediquen un buen tiempo a especular sobre la siguiente pregunta:

9 [FUTURO]

En cuanto a tu situación:

¿Cuál es la tendencia para los próximos años?

¿Qué oportunidades y amenazas ves?

Cuando exploras el futuro, ya lo estás creando.

© Liderazgo Quántico. Todos los Derechos Reservados. 2015

LA PREGUNTA ◆	¿Cuál es la tendencia para los próximos años?
VIDA ◆	Creo que en el futuro los empleos tradicionales ya no existirán o habrá muy pocos.
NEGOCIOS ◆	La tendencia en esta industria es ser empresas con pocos colaboradores y muchos aliados.
PAREJA ◆	Yo veo que la tendencia es una relación flexible, donde tenemos varios roles.

Modelos

Además de buscar en el futuro hay que buscar modelos de éxito, o sea, personas, empresas o proyectos a los que les ha ido bien y que sirven como referencia. Porque resulta que para nuestro cerebro es más fácil creer que algo es posible cuando tiene ejemplos. Cuando ves a alguien que ya lo logró, en automático suceden cambios en todo tu sistema de creencias.

**No son los sermones,
son los modelos los que nos inspiran.**

Supón que tú quieres emprender; para ello es buenísimo que leas y escuches la mayor cantidad de historias de emprendedores, porque tu cerebro hará el trabajo de conectar esas historias con tu propio proyecto. En mi caso tengo años disfrutando de leer acerca de la vida de mis autores favoritos; el otro día una amiga me dijo que soy muy chismoso, y yo le dije que sí, que chismear las historias de los escritores que admiro me mantiene con ganas de escribir. Saber el tiempo que invirtió Ken Follett en la investigación de *Los pilares de la tierra* me hizo descubrir que una buena historia sólo es la punta del iceberg, que detrás de un buen libro hay años de exploración; descubrir que Sidney Sheldon estuvo a punto de suicidarse por su bipolaridad me hizo entender que entre más dañado esté psicológicamente más energía tendré para crear.

Cada que leo acerca de la vida de un autor me conecto, y el hecho de ver que me faltan años luz para ser el autor que quiero ser me mantiene escribiendo con pasión.

En tu caso, ¿quiénes son los modelos que te podrían inspirar?

¿Cuánto tiempo valdría la pena que dedicaras a husmear en sus vidas?

Porque, ¿sabes algo?, eso de que alguien "te motive" es un tema de manipulación, pero cuando escuchas una historia que te inspira tú solito "te motivas".

Igual ves parejas luchando por mejorar su relación pero que no salen de lo mismo porque no exploran en otros modelos, su única referencia, como lo he comentado, son sus propios padres. ¿Qué hacen las parejas que a ti te inspiran?, ¿les has preguntado cómo se llevan y cómo le hacen?

Y en cuanto a tu proyecto:

LA PREGUNTA ◆	¿Quién ha tenido éxito en una situación similar o paralela?
VIDA ◆	Mi amiga Alejandra ha resuelto muy bien el equilibrio entre lo personal y el trabajo; ella sería mi modelo.
NEGOCIOS ◆	No sé, pero me doy cuenta de que si no tengo un modelo de éxito no es porque no existan, sino porque no me he dado el tiempo de buscarlo.
PAREJA ◆	Bueno, no hay pareja perfecta, pero un modelo que me gusta es el de mi hermana y su esposo, sobre todo la forma en que disfrutan más de la vida que del consumismo chatarra.

Disciplinas

Ahora bien, por lo que te he compartido, hasta ahorita parecería que hay que buscar modelos en el tema que nos atañe, o sea los emprendedores buscan modelos de emprendedores, los escritores buscan modelos de escritores y las parejas buscan modelos de pareja, pero eso sería un esquema muy lineal y acuérdate que explorar es ser divergente; si tú tienes un proyecto de emprendurismo o emprende-durísimo no te limites a buscar modelos directamente relacionados con tu tema, busca modelos de arte, de innovación social, de otras industrias, de otros países, de equipos deportivos, de espectáculos y de todo lo que te dé la gana, porque entre más abras la visión más posibilidades tendrás de mezclar, y ya verás cómo capitalizarás muy bien eso en la tercera posición mental de la inteligencia innovadora. Si tú y tu pareja quieren tener relaciones sexuales más ricas y sólo leen e investigan modelos y técnicas de sexualidad, estarán muy limitados, pero imagínate la riqueza que generarán si mezclan sexo con cocina, arte, música y hasta carreras de autos, ¿a poco no suena más erótico "estereosexualidad" o "navíosexualidad" que sólo "sexualidad sexosa"? Porque mezclar enriquece, y para mezclar hay que ampliar el universo de nuestras exploraciones.

Y si te fijas no basta con que investigues modelos de éxito, sino que seas todavía más divergente y explores otras disciplinas diferentes a tu proyecto, porque de nuevo ahí encontrarás las mezclas más deliciosas. El Cirque du Soleil es un ejemplo de lo que pudieron crear personas que no se limitaron a la disciplina del circo tradicional, sino que exploraron el arte, la música y hasta el talento marginal que estaba desperdiciado en las calles.

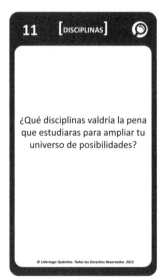

11 [DISCIPLINAS] ◎

¿Qué disciplinas valdría la pena que estudiaras para ampliar tu universo de posibilidades?

Si buscas en donde mismo, tus soluciones serán lineales; si ves en otras disciplinas, encontrarás combinaciones exponenciales.

© Liderazgo Quántico. Todos los Derechos Reservados. 2015

LA PREGUNTA ◆	¿Qué disciplinas valdría la pena que estudiaras para ampliar tu universo de posibilidades?
VIDA ◆	Creo que si estudio para *sommelier* podría ampliar mis posibilidades de diversión.
NEGOCIOS ◆	Quizás estudiar y jugar videojuegos me ayudaría a encontrar formas para revolucionar la manera en que presentamos nuestros productos.
PAREJA ◆	Nos ayudaría aprender alguna disciplina que haga que tengamos más opciones de diversión que los domingos en casa de mamá.

Ficción

Y para explorar tampoco te tienes que limitar a modelos y disciplinas reales, en la ficción también hay muchas ideas que explorar. A mí lo que me parece muy chingón de ser explorador es que resulta muy divertido, porque si vas al cine o lees una novela también estás ampliando tu universo. Por supuesto que esto sólo sucede si al estar viendo la película o leyendo la historia traes puesta la posición mental del explorador. Por eso cuando te das cuenta de que tiene que ver con el proyecto que traes, vale la pena volver a ver la peli o releer el libro.

12 [HISTORIAS]

¿Qué libros o películas valdría la pena que leyeras o vieras para ampliar tu universo?

Ver que para otros es posible inspirará a la parte de ti que aún no cree.

LA PREGUNTA ◆	¿Qué libros o películas valdría la pena que leyeras o vieras para ampliar tu universo?
VIDA ◆	Yo leería "De qué hablo cuando hablo de correr" para descubrir cómo le hizo Murakami para apasionarse por el running.
NEGOCIOS ◆	Yo volvería a ver la de "Invictus" para recordar cómo le hizo Mandela para unir a dos colectivos totalmente diferentes. Allá eran blancos y personas de color, y en mi empresa, administrativos y ventas.
PAREJA ◆	Yo vería la de "House of cards" para explorar cómo se relaciona una pareja desquiciada. No sólo hay que ver modelos de éxito sino también modelos jodidos.

Clientes

Me tocó la suerte de platicar con un *coach* español de *startups* que me preguntaba: "Jorge, ¿cuál es la característica principal de un innovador?", y yo sin pensarlo le contesté: "Ser creativo", y él me dijo: "Oztraz Jorge, majo, eso es un cliché, todo mundo dice que la creatividad, pero antes de eso hay algo muy importante: la empatía… de qué nos sirve ser creativos si no entendemos al cliente, si primero no esploramos qué necesita. Majo, la piedra filosofal del innovador es entender al cliente, ponerse en sus zapatos, no como un discurso, se trata de realmente entenderlo". Después me dijo quién sabe qué de la "concha de mi madre" pero eso ya no lo entendí.

Lo que sí me quedó muy claro es que si exploramos modelos, disciplinas e historias, pero no entendemos al cliente, terminaremos creando cosas muy locas y creativas que nadie comprará o haciendo cosas muy diferentes pero que no resolverán las necesidades de nadie, y eso no es innovación. Si exploras un montón de libros sobre sexualidad pero no escuchas a tu pareja (tu cliente), pues ya valió madre, explorar es ponerte en sus zapatos o en sus calzones. Aplica esto en tu proyecto:

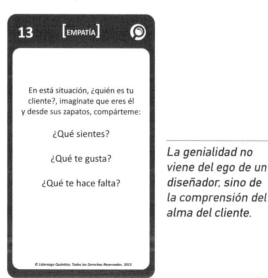

13 [EMPATÍA]

En está situación, ¿quién es tu cliente?, imagínate que eres él y desde sus zapatos, compárteme:

¿Qué sientes?

¿Qué te gusta?

¿Qué te hace falta?

© Liderazgo Quántico. Todos los Derechos Reservados. 2015

La genialidad no viene del ego de un diseñador, sino de la comprensión del alma del cliente.

LA PREGUNTA ◆	En esta situación ¿quién es tu cliente? Imagínate que eres él, y desde sus zapatos, compárteme: ¿qué sientes?, ¿qué te gusta?, ¿qué te hace falta?
VIDA ◆	Bueno, creo que aquí en esta situación mi cliente es mi hijo. Si pienso como él diría: "Me siento ignorado, me gusta jugar y me hace falta que me veas.
NEGOCIOS ◆	Si honestamente me pongo en los zapatos de nuestros clientes diría: "Me siento utilizado, sólo me hablas para venderme. Me gusta que me escuchen y me hace falta no sentirme sólo un número de tu compañía".
PAREJA ◆	Pues aquí mi cliente es mi pareja, y creo que se siente aburrida, que le hace falta tiempo y lo que le gusta es salir de noche.

Entrevistas

Como exploradores vale la pena ponernos en los zapatos del cliente, pero no basta con pasárnosla especulando, se pueden hacer entrevistas para preguntarles cómo se sienten y qué les gustaría, o incluso entrevistas grupales, o sea grupos de enfoque donde invitas a cinco o seis clientes y preparas preguntas abiertas para conocerlos. Quizás aquí te viene a la mente el tema de las encuestas, pero para innovación las encuestas no son tan convenientes, porque nos ayudan a hacer estadística basándonos en nuestras hipótesis. En las encuestas tú preparas preguntas para que tus clientes evalúen en una escala el servicio o lo que sea que quieras investigar. Pero en innovación la investigación cualitativa es mucho mejor, dejar que el cliente se explaye y luego leer y re-leer lo que nos dijo para encontrar la información más valiosa. ¿El tiempo que le dedicas a escuchar a tus clientes es suficiente?, y ¿a tu pareja?, ¿realmente te ha dicho lo que le gusta, lo que no le gusta, sus fantasías, sus repulsiones?, o ¿te limitas a suponer?

Ya lo dijo don Benito: "Tanto en la cama como en las empresas, entender al otro trae la paz".

Y no te limites a entrevistar a tus clientes, ser explorador es abrir el panorama lo más que puedas, seguramente hay personas de otras industrias o de otros contextos que te pueden dar información que enriquezca tu universo:

14 [ENTREVISTA]

¿Con quién valdría la pena que platicaras para ampliar tu panorama?

¿Qué le preguntarías?

© Liderazgo Quántico. Todos los Derechos Reservados. 2015

Hay personas que conocen el lado de la realidad que aún no has explorado.

LA PREGUNTA ◆	¿Con quién valdría la pena que platicaras para ampliar tu panorama?
VIDA ◆	Yo entrevistaría a Carlos para preguntarle cómo le ha hecho para ser independiente y tomar tres meses de vacaciones al año.
NEGOCIOS ◆	Yo entrevistaría al CEO de Walmart para descubrir cómo hacer una empresa que destruye su entorno.
PAREJA ◆	Yo entrevistaría a Mateo porque encontraría cosas enriquecedoras en sus cinco divorcios.

Vivir experiencias para comprender la realidad

Hasta ahorita hemos hablado de explorar como si sólo se tratara de conversar, leer, ver películas, pero nos hace falta algo muy importante: explorar es experimentar, es conocer la realidad desde dentro. De lo que se trata es de vivir experiencias que te permitan comprender mejor el tema en el que estás innovando. Por ejemplo, si vas a proponer estrategias comerciales para un equipo, mínimo valdría la pena que te fueras a trabajar tres días en la ruta que recorren a diario; otra actividad muy rica es decirle a tu pareja que inviertan roles: hoy yo voy a jugar a ser tú y tú vas a jugar a ser yo. Esto puedes aplicarlo en la cotidianidad: haz las cosas que hace tu pareja en el día para saber lo que ella siente, y también es riquísimo aplicarlo en el sexo: si habitualmente tú eres quien propone, cambia el rol de canela y deja que tu pareja proponga y tú suelta el control y déjate guiar flojito y cooperando; también pueden jugar a cambiar otros roles: que el que hable calle y el que normalmente calla, hable. Que el que regaña a los niños les dé permiso y el que les da permiso los *cagotie*.

Una condición muy importante es que estos experimentos no los hagas con ninguna expectativa, que no quieras cambiar al otro ni mucho menos juzgarlo, recuerda que la posición de explorador es desde la *mente de marciano*. Si conservas esta condición, cuando experimentes en lo cotidiano o en el sexo lo que se siente ser tu pareja, estarás llegando a los niveles más altos de exploración y además lograrás más comprensión, por lo tanto menos juicio y, por si fuera poco, puede ser muy erótico y riquísimo.

Lo mismo aplica en cualquier proyecto de innovación:

15 [EXPERIMENTO]

¿Qué necesitas experimentar para ampliar tu perspectiva de la realidad?

Sólo por explorar con las menores expectativas posibles.

Experimentar es el camino para comprender la realidad desde dentro.

© Liderazgo Quántico. Todos los Derechos Reservados. 2015

LA PREGUNTA ◆ ¿Qué necesitas experimentar para ampliar tu perspectiva de la realidad?

VIDA ◆ Esta semana voy a pedirle a mi tío que me permita ser su chofer para comprender desde dentro cómo es el día a día de un empresario como él.

NEGOCIOS ◆ Yo estoy en mercadotecnia pero me voy a meter a ventas dos semanas para comprender la reacción de nuestros clientes ante el producto.

PAREJA ◆ Voy a jugar futbol dos semanas para ver si logro entender de qué se trata esa cosa.

EL EXPLORADOR EN SÍNTESIS

✓ La primera posición mental del *Kamasutra de la innovación* es el explorador. Se trata de ampliar tu universo de posibilidades buscando fuera de la cloaca.

✓ Las características del explorador son:
1) Mente preguntona: para abrir posibilidades, partiendo de la pregunta del millón.
2) Mente marciana: para explorar sin prejuicios.
3) Mente visual: para comprender, asociar y conectar de forma no lineal.

✓ Los exploradores buscan en el futuro modelos, disciplinas, historias, entrevistas, poniéndose en los zapatos del cliente y viviendo experiencias que les permitan comprender la realidad.

Retrato del explorador

Del 0 al 10, ¿qué tanto te identificas con las luces y sombras de un explorador?

___ Soy una persona muy curiosa.

___ Me apasiona aprender cosas nuevas y le invierto tiempo.

___ Soy un buen escuchador, me gusta más hacer preguntas que dar mi opinión.

___ Me cuesta sacar conclusiones porque no me gusta opinar si siento que no tengo información suficiente para hacerlo.

___ *¿Qué me mueve?* Descubrir el mundo, aprender.

___ *¿Mi atrevimiento?* Buscar donde nadie busca.

___ *¿Mi miedo?* Decidir: suelo tener la sensación de que me falta investigar más y por eso me cuesta mucho dar el paso a la acción.

___ *¿Qué le aporto a mi equipo?* Amplitud de miras, información divergente, visión de las tendencias y el futuro.

___ *¿En qué afecto a mi equipo?* Puedo quedarme explorando y si no me presionan no me muevo. En un extremo puedo ser desesperantemente divergente, muchos datos, pocos actos.

___ *En el sexo y en la innovación.* Me gusta ver, descubrir, contemplar, apreciar, acariciar, no tengo ninguna prisa.

Suma tus resultados y divídelos entre 10: _____

RECOMENDACIONES

SI TE IDENTIFICAS COMO EXPLORADOR (+ de 7 puntos):
—*Aprovecha tu talento:* Ver las tendencias y ser curioso es una capacidad que te permite hacer negocios que conectan con la ola.
Tus aportaciones ayudan a los equipos a ampliar el panorama.
—*Inteligencia colectiva:* Busca socios, aliados y compañeros que te empujen a actuar, rodéate de personas que sean atrevidas aun cuando no cuenten con toda la información.
(Tu visión panorámica) × (una buena dosis de audacia) = (resultados sorprendentes).
—*Trabájale:* A veces confías más en tus fuentes que en tus propias ideas, atrévete a confiar en tu intuición y tu creatividad.
—*En el sexo:* Anímate a ser más arrebatado(a), confía en tu instinto.

SI NO TE IDENTIFICAS CON EL EXPLORADOR (– de 7 puntos)
—*Trabájale:* La posición de explorador se ejercita estudiando, investigando, curioseando sin ir directo al resultado, con paciencia. ¿Qué nuevas actividades puedes incluir en tu día a día? ¿Estudiar otro idioma, leer libros diferentes a los que acostumbras, probar platillos que no te animas?

Aprende a perder el tiempo sin culpa.

—*Deshazte de las siguientes ideas:*

a) Investigar cosas que no están relacionadas con mi trabajo es perder el tiempo.

b) El resultado es lo más importante.

c) Todas las acciones me deben de llevar a un objetivo.

—*En el sexo:* Acaricia y huele más a tu pareja sin buscar el coito como fin.

Explórate a ti mismo(a).

—*Inteligencia colectiva:* Busca socios, aliados y compañeros exploradores, nada más no seas desesperado, dales tiempo de buscar y de investigar, escúchalos antes de aportar lo tuyo o incitar a la acción.

Si persisten las molestias consulta a tu *coach* de cabecera.

Disrupto

◆

Dinamitar el molde para abrir paso
a una nueva realidad

Lo primero fue explorar, porque cuando obtienes información fuera de tu mundo preparas a tu mente para nuevas posibilidades. Pero no basta con eso, si realmente quieres crear algo diferente en tu vida o en tu negocio, tienes que atreverte a partirle la madre a lo establecido. Si revisas la historia de la humanidad, cada innovación ha sido la creación de algo nuevo pero también la destrucción de lo que perdió vigencia. La agricultura le partió su madre a los nómadas, porque con esa innovación cambió el estilo de vida del ser humano.

La imprenta de Gutenberg no sólo dejó sin trabajo a los copiadores de libros a mano, también reventó el esquema de la

Insanta Inquisición, porque cuando leer se hizo más popular fue imposible seguir viviendo en el nivel de ignorancia de la Edad Media. Luego la tecnología digital ha modificado la industria y puso en jaque a las compañías que imprimen periódicos y a las que editan libros.

La fotografía acabó con la pintura realista, y como un efecto dominó fue creándose el arte moderno. Las cámaras digitales terminaron con los rollos, las compañías de almacenamiento en la nube, a su vez se la rompieron a las USB… qué locura, ¿verdad?

Y locura es lo que hay que tener para atreverse a desafiar lo establecido, porque no hay innovación radical sin alguien que se haya animado a cuestionar lo incuestionable.

La segunda posición mental del *Kamasutra de la innovación* es: el *disrupto*.[1]

Si hasta ahora tú y tu equipo han investigado los modelos, las tendencias, la tecnología y todo lo que hay alrededor de su proyecto, es momento de *disruptizar* su mente y dedicarle un tiempo a pensar qué prácticas, creencias o paradigmas van a dinamitar para que la creación sea posible. Sé que suena paradójico, si innovar se trata de crear, ¿por qué carajos tenemos que destruir?; pero lo que me encanta de la vida, de la innovación, del sexo, de mí y de ti, es que somos contradictorios, jodido el que aún aspira a que la vida, la innovación, el sexo, tú y yo no lo seamos, porque estará conflictuado toda su existencia.

---

[1] Si el lector piensa que la palabra *disrupto* no existe en el Diccionario de la Real Academia de la Lengua, ni se moleste en investigarlo, porque efectivamente está mal dicho, pero si no, no sería *disrupto*. La traducción de *disrupting* es disruptivo, pero la palabra me sonaba muy larga, rebuscada y no tenía la musicalidad desafiante, propia de esta posición, sino un tono retórico, por eso me tomé la licencia de cambiarla. También encontrarás el verbo *disruptizar* y es la misma situación. De hecho hay muchas palabras en el libro que no existen, pero sólo señalo estas dos por ser una posición mental y por lo tanto esencial en la comprensión del concepto.

Destrucción y creación son las dos caras de la misma moneda. Para crear hay que destruir. Esto lo sabemos claramente cuando somos niños. ¿A poco tú no agarrabas aparatos, juguetes y los desarmabas porque destruir era una forma de entenderlos y conocerlos?;[2] el problema apareció cuando un adulto llegó y te dijo que los juguetes no eran para jugar sino para tener una especie de pinche museo en tu casa, igual que te dijo que los libros no eran para rayarse, ni la ropa para ensuciarse y *con esta mala educación pasaste al club de fans de juguetes, en lugar de los creadores de juguetes.* Pero si pones atención, dentro de ti sobrevive una energía transgresorrebelde-irreverensarcástica-destructoconstructiva, o sea ese *disrupto* que te invitaré a liberar en este capítulo.

Claro, entre las voces de tu mente también está la maestra o maestro controlador, que ya te está diciendo: "No cuestiones", "si dices que sí a lo que el maestro te dice, eres buen niño", "piensa positivo", "las cosas son como son, porque así deben de ser". Pero haz favor de mandarlo olímpicamente a... de vacaciones, por lo menos por las siguientes páginas, para que juntos viajemos por los pensamientos, las perspectivas y los enfoques del *disrupto* y los apliquemos en tu proyecto.

Por lo pronto, con respecto a tu situación inviértele tiempo a pensar:

---

[2] Si el lector no destruía aparatos ni juguetes cuando niño, entonces su problema es más grave; mi recomendación es que cierre este libro y busque apoyo profesional acerca de la infancia perdida.

Certidumbre: "Capa de óxido de hierro de que se cubren las personas que están mucho tiempo en lo cierto".

—J. E. Suárez

LA PREGUNTA ◆	¿Qué hay que romper para crear una nueva realidad?
VIDA ◆	Lo primero que necesito romperme es el cordón umbilical. Quizás a mis 50 años dejar de vivir con mis papás sea necesario.
NEGOCIOS ◆	Nuestro negocio depende del gobierno, hay que romper con la idea de que sin proyectos con el gobierno no somos nada.
PAREJA ◆	De entrada deberíamos romper con las vacaciones siempre en el mismo hotel y con las mismas comidas, y las navidades siempre con la familia y el sexo en la misma posición; habríamos de dinamitar nuestro monumento a la rutina.

Mente desafiante

Primera característica de la posición mental del disrupto
Cuando cambias el enfoque de tu pensamiento descubres nuevas posibilidades, igual que cuando cambias de posición sexual experimentas sensaciones y placeres diferentes.

En la posición mental del explorador la idea era tener una mente "preguntona", en el sentido de querer descubrir el mundo, de conocer nuevas cosas, mientras que en el *disrupto* hay que tener una mente desafiante que "cuestione" lo establecido. Probablemente podrías decir: "Es lo mismo ser preguntón y cuestionador", pero la energía es totalmente diferente, la mente preguntona del explorador es una posición de búsqueda, apertura y neutralidad, mientras que la mente desafiante del *disrupto* cuestiona desde una posición mucho más incisiva, agresiva, aguda, que plantea: "¿Por qué carajos estamos haciendo así las cosas?", "¿por qué no mejor las hacemos de otra forma?"

Una mente desafiante es una actitud aguda, agresiva y transgresora ante proyectos y situaciones.

Disruptizar
El primer entrenamiento que te voy a proponer para que logres una mente desafiante será *disruptizar* clichés que todo el mundo da por cierto.

Empecemos por los clichés más comunes que conocemos, o sea, los refranes. Ahí te va el primero:

Árbol que nace torcido, jamás su tronco endereza.

Un refrán es una frase que refleja una visión muy parcial de la realidad a la que le llamamos "sabiduría popular", pero un refrán, como todo cliché, no refleja la realidad absoluta, sino una partecita. La idea que propone el refrán del árbol torcido es que quien está jodido está predeterminado a seguir así toda su vida, ¿esto es cierto?, o ¿tú qué opinas?:

Yo creo que es cierto a veces, en determinado momento y bajo ciertas circunstancias. El problema de los clichés, así como de los refranes, es que algo que nos funcionó en algún momento, lo queremos generalizar para todo. Si adoptas una mente desafiante, ¿cómo cuestionarías ese refrán?, ¿en qué casos no es cierto?, ¿qué nuevas propuestas de frase podrías construir?

Yo diría que hay gente que estaba torcida y se enderezó, que aun partiendo de las peores circunstancias lograron salir adelante; igual me ha tocado ver personas que estaban muy derechitas y terminaron torcidas. Pero por otro lado, si pongo mi mente más desafiante aún, pienso que estamos partiendo de otro cliché más absurdo, ¿quién dice que es mejor estar derecho que torcido?, ¿no te parece que las personas más derechas podrían representar a las más rígidas, aburridas, monótonas, matapasiones, castrantes y a veces hasta hipócritas y perversas del planeta?, ¿no es cierto que muchas de las personas más interesantes, apasionantes, generosas, *sexys*, cachondas y creativas del planeta han estado medio torcidas?

¿Ya lo viste?

La mente desafiante se entrena *disruptizando* clichés.

Al que madruga Dios lo ayuda.

Este cliché nos quiere decir que es bueno ser proactivo, llegar primero y adelantarse, pero de nuevo esto es realidad sólo algunas veces y en algunas circunstancias; por eso, cliché mata cliché, y bien dijo el filósofo de Guanajuato que "no hay que llegar primero, sino hay que saber llegar", o sea que adelantarse a veces y en determinadas circunstancias es contraproducente, un ejemplo son los equipos de futbol que a media temporada están en su punto máximo de rendimiento, pero cuando llegan a las finales ya van en la curva de descenso; otro ejemplo son los opinadores, horneadores y eyaculadores precoces, que por madrugar dejan el pastel medio crudo. También los negociadores precoces que cuando madrugan con propuestas Dios no les ayuda, porque en negociación muchas veces es mejor dejar que el otro hable primero para que solito se eche la soga al cuello. Insisto, cliché mata cliché, por eso, "no por mucho madrugar amanece más temprano". Si te fijas, no es que un cliché mienta, el problema es que creamos que las fórmulas y las frases son válidas en todo momento.

Los que hacen de cualquier fórmula exitosa una ley universal no están en la posición mental del *disrupto*, porque el *disrupto* parte de la idea de que toda ley es desafiable, que toda fórmula caduca y que la innovación la hacen los que se atreven a cuestionar las cosas que han tenido mucho éxito.

Un día le preguntaron al Dalai Lama: "¿Qué pasaría si la ciencia demostrara que el budismo está equivocado?", y el Dalai Lama contestó: "Entonces el budismo tendría que cambiar".

Yo pienso que la ciencia ha demostrado varias veces que la ciencia está equivocada, entonces tenemos a los fanáticos de la ciencia que dicen: "Esto es verdad porque la ciencia lo ha demostrado", pero luego tenemos a los *disruptos* que dicen: "Hacer ciencia no es quedarse en el *statu quo*, es cuestionar a la propia ciencia para crear nuevo conocimiento".

Los grandes innovadores de la historia no eran defensores del *statu quo*, sino cuestionadores y rebeldes que se preguntaban: ¿por qué no se podría curar una enfermedad incurable?, ¿quién dice que no puede haber circo sin maltratar animales?, ¿por qué no se puede tener sexo sin riesgo de embarazo?, ¿quién dice que una mujer no puede dirigir una empresa?, ¿por qué no una actitud más suave y femenina puede enaltecer a un hombre?, ¿por qué el sexo y la espiritualidad tendrían que estar peleados?, ¿de qué forma el sexo podría incrementar la paz espiritual de un monje?

A ver, empieza a entrenar, adopta una mente desafiante y *disruptiza* estos refranes:

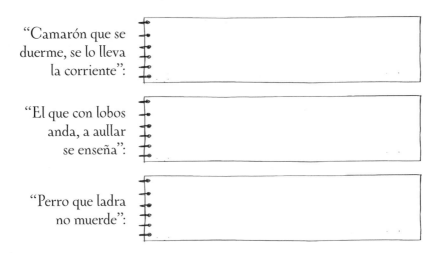

"Camarón que se duerme, se lo lleva la corriente":

"El que con lobos anda, a aullar se enseña":

"Perro que ladra no muerde":

Además de hacer *disruptizaciones* con refranes, puedes entrenar a tu mente desafiante con cualquier tipo de clichés, creencias o paradigmas.

Puedes *disruptizar* paradigmas o costumbres sobre el matrimonio, el sexo, o la industria de tu negocio.

Practica un poco más, ¿cómo desafiarías estas ideas?:

"Los mejores empleados son los primeros que llegan y los últimos que se van":

"El sentido de la vida es tener éxito":

"El sentido de la vida es la felicidad":

'Todo hombre y mujer nacieron para reproducirse":

"El tamaño no importa":

"El sexo es cosa de dos":

¿Qué clichés valdría la pena que te atrevieras a cuestionar de tu vida?, ideas que has acuñado, que te has creído y que de alguna forma te han limitado, clichés del tipo: "En mi familia no somos creativos", "soy una persona con poco apetito sexual", "no soy una persona cariñosa", "no soy bueno para poner límites", "el inglés no se me da", "yo no nací para hacer deporte", "yo no nací para amar", "nadie nació para mí", "mis sueños nunca se hicieron realidad". Date permiso de *disruptizar* esas ideas que te parecen incuestionables:

El primer elemento para crear o adoptar una mente desafiante es jugar a cuestionar lo incuestionable. Las canciones populares, los eslóganes de nuestras empresas, las políticas, nuestros procesos están llenos de lugares comunes, o sea, frases hechas que parecen obvias pero que a veces más que sabiduría son un museo de prejuicios y traumas. Esos paradigmas están tan arraigados en la cultura que nos da miedo cuestionarlos, y para transformar la realidad hay que darnos el permiso de jugar con ellos.

Por eso, solo o acompañado (de tu equipo) atrévete a confrontar la situación en la que quieres innovar:

Los barrotes de
nuestra cuna son
incuestionables.
—Salvador Ruvalcaba

Ejemplos:

	Cliché o creencia	vs.	Frase desafiante
Vida	Es fundamental en la vida tener casa propia y no pagar renta.	vs.	Qué pasaría si encuentro una mejor forma de invertir mi dinero.
Negocios	Lo importante es eliminar la rotación.	vs.	Y qué pasaría si hacemos negocio de la rotación.
Pareja	Las navidades se pasan con la familia.	vs.	Qué pasaría si esta Navidad la pasamos solos.

The card text:

2 [MÁTAME ÉSTA]

Dime tres cosas de las que estás totalmente convencido con respecto a tu situación.

Y luego:

a) Cuestiónate cada una de esas cosas de las que estás seguro.

b) Piensa qué pasaría si cambiaras tu idea.

Tus respuestas:

Clichés de tu proyecto	vs.	Frases desafiantes (que inician con qué pasaría si...)
	vs.	
	vs.	
	vs.	

El otro día mientras trabajaba con un equipo en un proyecto de "crear cultura de innovación", el encargado de calidad me preguntó que si no era peligroso poner a los colaboradores de una empresa a cuestionar políticas y procesos, y yo le dije que la clave estaba en hacerle ver a las personas que cuestionar algo no significa que lo vas a cambiar en ese momento, que de lo que se trataba era de regresarle a la mente la libertad de confrontar lo establecido.

Por supuesto que en muchas compañías da miedo cuestionar, pero castrar de esa forma a un equipo, más que control te garantiza la amputación de la inteligencia.

En la posición mental del *disrupto* aún no estás tomando decisiones, estás pensando, aflojando las resistencias para que después no decidas mal porque tuviste miedo de hacerte preguntas importantes. Yo le expliqué al encargado de calidad que si un proceso soporta una hipótesis disruptiva simplemente hay que dejarlo porque aún no ha caducado, y él me dijo que le hacía sentido porque se imaginaba que era como si las prácticas y las estrategias se sometieran a un proceso de rayos X para ver si estaban sanas o era momento de intervenirlas.

El abogado del diablo

Además de *disruptizar*, ejercitamos nuestra mente desafiante cuando nos ponemos en plan de abogado del diablo. Hacerle al abogado del diablo es confrontar el planteamiento que hay de un proyecto, cuestionar sus bases. Algunas veces he escuchado que la gente que es *contreras* perjudica, pero hay momentos en que ser *contreras* es una manera de adoptar la mente desafiante y encontrar los puntos débiles, porque sólo puedes atacarlos cuando los has identificado. Por supuesto que no se trata de vivir todo el tiempo como abogados de diablos, para todo hay un espacio, y la posición mental del *disrupto* te permite crear valor con una conducta que toda tu vida te han reprimido, por eso es riquísima. Algo que puedes hacer con tu equipo es una reunión en donde se pongan muy agudos, y sin miedo comiencen a cuestionarse aspectos del proyecto:

Piensa en tu proyecto, en la situación en la que quieres innovar; adopta la actitud de abogado del diablo y pregúntate:

Un planteamiento puede convertir la misma situación en un problema o una oportunidad.

LA PREGUNTA ◆	¿Qué cosa te podrías replantear?, ¿qué no quieres ver?, ¿qué no quieres aceptar?
VIDA ◆	Lo que no quiero ver es que me he quedado solo por ser muy exigente con mis amigos; visto de esta manera, tendría que replantear mi idea de que la gente es poco comprometida, más bien yo soy muy demandante.
NEGOCIOS ◆	Siempre le he atribuido el problema a mis vendedores, pero quizá no he querido ver que mi producto no tiene una buena envoltura, quizás el problema está en el producto; ése es un replanteamiento, ¿no?, creo que hasta el título le debo cambiar a mi proyecto.
PAREJA ◆	Bueno, yo tacho a mi pareja de agresiva porque es medio gritona, pero lo que no acepto es que yo soy chantajista; viéndolo así, tendría que replantear la idea: ambos somos agresivos, sólo que yo de forma pasiva, chingaquedito pues.

El problema correcto

El tener esta mente desafiante y aguda es una oportunidad de cuestionarnos incluso si el problema que estamos atacando es el que hay que atacar. Muchas personas pierden años de su vida queriendo solucionar algo que no tiene solución, invierten sus presupuestos, su tiempo y su vida en casos perdidos. ¿A poco no hay gente en tu empresa que *anda meando fuera de la olla* y ni siquiera se atreve a cuestionárselo?

Vamos pensando que tu proyecto es "resolver el problema de la rotación", y que tú y tu empresa llevan cinco años en ese asunto, ¿no será que están atacando el problema equivocado?, ¿es la rotación el problema o es la industria, las ventas, el liderazgo u otra cosa?

Porque mira, cuando en una situación te has esforzado mucho y no llegas a ningún resultado, seguramente algo está mal planteado.

Anímate a hacerte este cuestionamiento con respecto a tu proyecto, sé que a veces implica volver a empezar, pero en ocasiones es mejor dar dos pasos atrás que seguir caminando al precipicio:

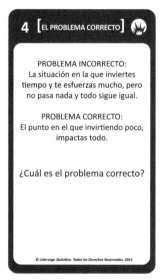

LA PREGUNTA ◆ ¿Cuál es el problema correcto?	
VIDA ◆	Estoy queriendo atacar el sobrepeso, cuando el problema correcto es la autoestima, o algún otro que aún no conozco.
NEGOCIOS ◆	Estoy queriendo resolver el problema de los vendedores cuando el problema correcto es el modelo de negocio.
PAREJA ◆	El problema correcto no está en pelearnos menos, sino en divertirnos más.

Buscar el problema correcto es una de las actividades más difíciles para la mente porque tú estás metido en el problema y es complicado verlo desde fuera y apreciar que estás poniendo tu energía en el lugar equivocado. Para ser mucho más efectivo con esta técnica te recomiendo invitar a otros.

Invita a las personas más divergentes que conozcas, explícales el caso y verás que sus opiniones te ayudarán a encontrar lo que buscas.

Sarcasmo

Me puse a releer las chingaderas que he escrito hasta ahora y veo que suena como que tener mente desafiante es ser muy serio y que se trata de cuestionar con singular agresividad, sin divertirnos. Me hacía falta explicarte los ingredientes que le dan sabor a la mente desafiante.

Fíjate en algo, muchas veces no nos atrevemos a cuestionar lo establecido porque mitificamos las cosas, las ponemos en niveles de tradiciones intocables y ahí es donde empieza a valer madre el asunto. Para que una mente sea desafiante necesita un toque de humor, sarcasmo y diversión, que sea como un juego, porque cuando nos reímos aflojamos las resistencias y nos permitimos tocar los temas intocables. En épocas muy oscuras se perseguía (y se persigue) a los periodistas por denunciar lo que está mal, pero a los comediantes[3] se les ha dado un poquito más permiso de burlarse de la política y de sus protagonistas, de hecho los bufones eran los únicos que tenían permiso para burlarse de los reyes, y hoy en día entre moneros, memes, tweets y videítos nos damos más permiso de reírnos de las cosas serias.

---

[3] Con sus excepciones, como *Charlie Hebdo*.

En pocas palabras, el humor es la pólvora perfecta para dinamitar paradigmas.

En su libro *El futuro del cerebro* el científico Michio Kaku nos explica que un chiste es una narración que va por un surco cerebral y que nos hace reír en el sorprendente momento en que se cambia de surco; dicho de otra forma, nuestra mente va pa' un lado y cuando el narrador del chiste cambia el sentido soltamos la carcajada y nuestra mente se expande. O sea, si no hay sorpresa no hay risa. A ver, ahí te va un ejemplo:

Un novio recién casado en la noche de bodas, le dice a la novia:

—Veo que te ríes como de nervios por ser tu primera vez, pero te aseguro que puedes relajarte.

—Ay, mi amor, lo que pasa es que yo me río de nervios todas mis primeras veces.

Si te fijas, la conversación va por un lado, y el cambio de surco hacia el absurdo nos arranca una sonrisa. Y pasa lo mismo hasta en los chistes más infantiles:

Había una manzana esperando el autobús, llega un plátano y le pregunta:

—¿Hace mucho tiempo que usted espera?

—No, yo siempre he sido manzana.

En este caso la mente del niño va por la autopista del tiempo, pensando en si la manzana espera o no espera, pero el chiste concluye con un cambio de autopista mental en el que "es-pera" se refiere a la identidad de la fruta. Espero que al lector no le disguste el chiste infantil, pero justo ahorita que estoy escribiendo llegó mi hija y vio lo que estaba haciendo, y me dijo que debía de poner este chiste y mi nepotista interior no pudo resistirse.

La cosa es que si queremos desarrollar una mente desafiante hay que atrevernos a hacerle *bullying* a nuestros proyectos, porque con el humor desmitificamos y liberamos nuestra mente para cuestionar sin poses mamilas y demasiado formales. Además el sentido del humor es un bálsamo en todos sentidos, ¿a poco no es rico estar haciendo el amor y que de pronto suceda algo que nos da risa?, ya sabes, un gas, un gemido chistoso o cualquier tontería; si dejamos que la risa nos atrape, todos nuestros músculos se relajarán más de lo normal y podremos experimentar un nivel de placer mucho más rico que el de dos amantes serios y preocupados por que no se les salga un pedo. El mejor aderezo de un orgasmo es una buena carcajada. Ahora, si pensamos en la carcajada como un aderezo, pues nos ayudará a cuestionar proyectos, condimentar peleas y sazonar momentos difíciles.

Por eso, una cucharada de sarcasmo con dos gotitas de carcajada son la mejor forma de seguir desafiando tu proyecto:

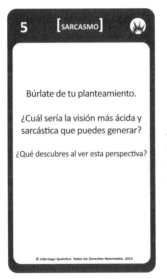

5 [SARCASMO]

Búrlate de tu planteamiento.

¿Cuál sería la visión más ácida y sarcástica que puedes generar?

¿Qué descubres al ver esta perspectiva?

Cuando te burlas de lo establecido te estás dando la posibilidad de contemplar otras opciones.

LA PREGUNTA ◆	Búrlate de tu planteamiento. ¿Cuál sería la visión más ácida y sarcástica que puedes generar?, ¿qué descubres al ver esta perspectiva?
VIDA ◆	Que soy un clasemediero tan jodido que está dispuesto a entregar su vida a trabajar para ir a gastar su dinero en un centro comercial hecho para buchonas. Lo que descubro con esta perspectiva sarcástica es que quiero plantear mis objetivos de vida de tal manera que no me vuelva un esclavo de algo que ni me gusta. Le vendo mi alma al diablo o cambio de gustos.
NEGOCIOS ◆	Lo que veo es que invertimos 90% de nuestra energía en un negocio digno del siglo XVIII; cada vez le echamos más ganas y más dinero a un negocio que está en etapa terminal. Lo que descubro con esa nueva perspectiva es que ya no quiero tener mi mente en cómo hacer que sobreviva un negocio en un mercado que está desapareciendo. Lo que quiero hacer es buscar nuevas oportunidades.
PAREJA ◆	Lo que veo es que en esta relación yo soy una mamá dándole chichi a un niñote de 45 y que me la paso quejándome, pero cuando él deja de pedirme siento celos. Con esta nueva perspectiva descubro que mi "ser mamá" está muy despierto, pero mi "ser mujer" se me había olvidado. ¿Qué opciones tengo?, o termino con mi esposo y adopto un niño o termino con mi personalidad de mamá y mejoro mi relación con mi esposo o me consigo un hombre y adopto a mi actual esposo.

I-rreverencia

Uno de los principales obstáculos para innovar es la reverencia que hacemos a las cosas que en su momento nos han funcionado. Desde un punto de vista, ser agradecido y respetuoso con lo que te ha dado éxito es una conducta que te lleva a niveles de bienestar.

Hoy en día la psicología positiva nos dice que las personas agradecidas tienden a más altos niveles de felicidad, pero para todo hay momento, y en el momento de innovar, casarnos con las fórmulas del pasado y rendirles pleitesía nos puede estancar.

Lo que no hay que hacer con la mente desafiante son reverencias.

La palabra *i-rreverencia* es justamente lo contrario, un i-rreverente es aquel que se da permiso de no rendirle pleitesía a lo establecido. Y aunque socialmente ser i-rreverente puede no ser muy aceptado, para ser *disrupto* es un ingrediente básico. ¡Qué buena noticia! Los defectos que socialmente te han criticado, en innovación son cualidades. Lo bonito de la cama es que es un espacio donde tenemos licencia de ser i-rreverentes, vestirnos de lo que queramos: gatitos, perritos, políticos, personajes de la historia, y lo que sea. Y en innovación un ejercicio muy interesante siempre será ser i-rreverentes con nuestro propio proyecto, porque la reverencia y la solemnidad son métodos anticonceptivos que evitan que concibamos nuevas ideas.

Solo o con tu equipo, inviértele un poco de tiempo a hablar de tu proyecto desde este enfoque de la mente:

El fanatismo radica en vivir tradiciones sin cuestionarlas. La innovación es crear nuevas tradiciones que nuevamente serán cuestionadas... ad infinitum.

LA PREGUNTA ◆	¿Cuál sería una forma irreverente de ver la situación?, ¿qué reglas, normas, tradiciones o convencionalismos puedes cuestionar?
VIDA ◆	Quién dice que la vida se trata de acumular reconocimiento y estatus, mejor me hago nómada.
NEGOCIOS ◆	Quién dice que la gente va a seguir teniendo los mismos gustos, mejor jubilemos nuestro modelo de negocio y hagamos uno nuevo.
PAREJA ◆	Quién dice que "para siempre", mejor nos casamos por una semana.

MENTE 4D

Segunda característica de la posición mental del disrupto

Para poder ser *disrupto* es clave ver la realidad desde otros ángulos, porque en la mayoría de las ocasiones percibimos nuestros proyectos desde una sola cara de la realidad, y eso empobrece las posibilidades que tenemos de resolver algo. Si yo crecí en una familia muy tradicional, tengo una perspectiva limitada de la sexualidad a la cual me aferro, pero si crecí en una familia poco tradicional, también tengo una perspectiva de la realidad de la que difícilmente me desapego; por ejemplo, puede ser que me cueste ver lo *sexy* que es jugar el juego de actuar de forma recatada. A quienes venimos de familias divergentes nos cuesta entender la perspectiva tradicional, y a quienes vienen de familias tradicionales les cuesta la perspectiva divergente. Y ambos estamos bien… jodidos, porque nos aferramos a una sola visión de las cosas, sea liberal o conservadora, cuando lo enriquecedor es tener las dos perspectivas, más otras tantas que no estén en el mismo nivel de pensamiento, la idea es encontrar lo que cada una aporta y cuestionar en lo que cada una jode. Ser *disrupto* se trata de tener aproximaciones de la realidad desde múltiples ángulos, porque de esta forma podemos hacer cambios que realmente revienten el sistema. Si te fijas, a esto de reventar el sistema es a lo que se refiere la innovación disruptiva o radical, a un cambio que transforma el mercado o la industria en la que se aplica. A veces la innovación disruptiva no sólo cambia una industria, sino el mundo. Como lo comenté hace rato, la agricultura fue una innovación disruptiva que cambió una era. La escritura nos hizo pasar de la prehistoria a la historia, la imprenta de la Edad Media al Renacimiento y la máquina de vapor de la felicidad a la era industrial. Curiosamente internet y la nueva generación de tecnología han cambiado las costumbres del mundo de forma tan cabrona que tú y yo somos testigos de otro cambio de era.

Pero, ¿cómo podríamos generar innovación disruptiva en nuestra vida, en nuestra sexualidad y en nuestros negocios, si nos limitamos a ver una sola cara de la realidad?

Me imagino que muchos seres humanos traemos instalado un software muy limitado en nuestra mente, un software con el que captamos la realidad de manera bidimensional, estática y en blanco y negro. Con ese software vemos las situaciones y decimos frases como: "Así son las cosas", "ésa es la realidad", "es lógico" o "es correcto".

Para que alguien diga "así son las cosas" debe tener una mente sumamente estrecha, porque si actualiza su software de acuerdo con la propuesta que te voy a hacer, tendría que decir: "Así se ven las cosas desde donde estoy".

Digamos que para lograr la posición mental del *disrupto* además de tener una mente desafiante necesito actualizar el software de mi cerebro.

¿Deseas descargar ahora la actualización cerebral para tener una mente 4D?

El software tradicional que hoy aceptas actualizar sólo incluía una única visión de la realidad, lógica de caja de zapato, y no traía instalada ninguna función para desechar ideas inservibles. Te felicitamos porque has adquirido mente 4D con cinco nuevos módulos que instalarás para ser auténticamente *disrupto*.

El sistema ha hecho un escaneo de tu hardware, la buena noticia que tenemos para ti es que tu hardware (tu cerebro) tiene las condiciones para desarrollar un pensamiento cuatridimensional, el único impedimento que tienes son creencias y aspectos culturales que limitan tus posibilidades de percepción.

¿Aceptas enviar a la papelera de reciclaje los archivos culturales que impiden la instalación del nuevo software?

A continuación te presentamos un tutorial para que puedas usar de la mejor manera tu mente 4D y *disruptizar* los moldes que hay que romper para innovar en tu vida y en tus negocios.

La primera función de tu mente 4D es el cambiador de filtro, que es algo así como imaginar que te cambias de lentes para ver tu proyecto desde diferentes matices; por ejemplo, con unos lentes muy optimistas, o con una mirada que te permita ver las peores expectativas, si tú tratas de ver tu proyecto con diferentes ojos, tu mente encontrará muchas más posibilidades. Como cuando en tu dispositivo móvil vas a sacar fotos y tienes diferentes filtros que transforman el acabado de las imágenes. Si el cerebro fuera esa cámara, podríamos decir que hay personas que sólo tienen un filtro y que por lo mismo su mirada es limitada, porque para ser *disrupto* requieres ampliar tu gama de percepción. ¿Cuánto podría enriquecer a tu proyecto que no te cases con una idea de cómo están las cosas, sino que percibas con diferentes matices?

Para la pregunta que sigue puedes pedirle a tu equipo que cada quien hable de la situación desde una mirada distinta, o bien, si tu proyecto es individual, sólo imagina que tu mente 4D tiene un menú con el que vas cambiando de ojos:

Cambiar de ojos es cambiar realidades.

7 [MULTIVISUAL]

¿Cómo se ve está situación desde...?

a) La locura.
b) El pesimismo.
c) El optimismo.
d) La lógica.

© Liderazgo Quántico. Todos los Derechos Reservados. 2015

LA PREGUNTA ◆	¿Cómo se ve esta situación desde "la locura", "la lógica", "el pesimismo" y "el optimismo"?
VIDA ◆	Lo pesimista sería que probablemente me quede sin trabajo, pero lo optimista, es que si mi jefe se queda con el puesto yo también crezco. La lógica me dice que debo de esperar antes de hacer nada, pero una visión loca es que esto es una señal del universo para que ya deje este empleo rascuache y emprenda mi sueño.
NEGOCIOS ◆	Lo pesimista es pensar que ahora que abran las fronteras nos van a hacer pedazos los proveedores de Oriente. Lo optimista que se retrasara por los conflictos que hay en la ley. La lógica me dice que debemos prepararnos y lo loco sería creer que podemos ser mejores que ellos.
PAREJA ◆	Lo pesimista sería pensar que todas las noches de la vida nos seguiremos peleando sin llegar a nada. Lo optimista es que con los años aprenderemos y maduraremos y llegaremos a mejores acuerdos. La lógica me dice que tomemos un curso juntos de cómo arreglar problemas, pero lo loco sería disfrutar los pleitos y usarlos como pretexto para una reconciliación hipercachonda-arrebatada.

Imagínate lo aburrida que es la vida para las personas que sólo tienen unos lentes para ver todo. Ahí entiendo por qué hay gente que se aburre de su trabajo, de su pareja o de su vida. No es que su vida, su pareja o su trabajo sean aburridos, sino que su percepción crea el aburrimiento. ¿Qué pasaría si hoy al llegar con tu pareja cambiaras tu mirada?, ¿qué te atraería si la ves con los lentes de un amante?, ¿cómo se sentiría tu pareja si tú en vez de ser tú actuaras como una persona que quiere conquistarla, que la ve con ojos de sorpresa y novedad y que quiere acostarse con ella mientras tú trabajas?, ¿a poco no sería delicioso que tu pareja te engañara hoy con tu otro yo?, o ¿cómo sería llegar hoy a tu trabajo con unos lentes de niño y ver lo absurdas que son tus actividades y tratar de buscar cómo hacerlas de una forma más innovadora? Hay miles de millones de ojos para ver el mundo, y la gente que se aburre tiene el gran mérito de lograr comprimir tanta diversidad en una pinche visión estrecha, monótona y gris, además puede aspirar a convertirse en una persona congruente, previsible, ortodoxa; tal vez podría llegar a ser un clon de sí misma.

Si te fijas, para cambiar de lentes también tienes que cambiar de estado de ánimo, conectar con tus sentimientos y con tu cuerpo, porque, como lo vimos en la pregunta anterior, no es lo mismo la percepción de un proyecto cuando te sientes optimista que cuando sólo esperas lo peor, y una cosa clave para enriquecer tu visión de las cosas es usar el segundo cerebro, o sea, el aparato digestivo. Nuestros intestinos utilizan los mismos neurotransmisores que el cerebro, así que después de todo consultarlos no es algo tan despanzurrado, porque tienen mucha información que transmitirnos: quizá te ha pasado que tu cabeza quiere una cosa, por ejemplo, contratar a alguien que acabas de entrevistar, pero desde tus tripas sientes un "no sé qué, que qué sé yo" que te dice: "No lo contrates, aquí hay peligro", y tú sientes esa inquietud, pero decides no hacerle caso a tus tripas, ser sumamente racional y lo contratas, pero tarde o temprano descubres que por no hacerle caso a tus instintos tu decisión no fue buena. Cuando Aristóteles Onassis era el hombre más rico del mundo decía que primero revisaba los números, o sea los informes financieros, pero no tomaba una decisión si su estómago no la autorizaba.

La mente 4D te permite escuchar todas tus voces, incluyendo la de las tripas.

Hay información que dice que el aparato digestivo procesa mucho antes que el cerebro.

LA PREGUNTA ◆	Respira un instante, siente tu estómago, tu intestino, todo tu aparato digestivo... escúchalo... ¿Qué dicen tus tripas del proyecto?
VIDA ◆	Que les hace un sentido total: por aquí va el asunto.
NEGOCIOS ◆	Que está mal planteado, que nomás lo veo y ya me duele la panza.
PAREJA ◆	Que tengo miedo.

De alguna forma este cambio de lentes hace que veas diferentes tonalidades de la realidad, pero no es suficiente; con tu mente 4D también puedes cambiar de posición, porque una cosa es ver las cosas con diferentes ojos y otra es cambiarte de lugar, ver el mundo por todos lados; se trata de que veas tu proyecto desde arriba, desde abajo, de lejos y de cerca, desde los lados, como en el AutoCAD, ¿no?, porque cuando cambias de posición descubres que la realidad era más amplia de lo que tú creías.

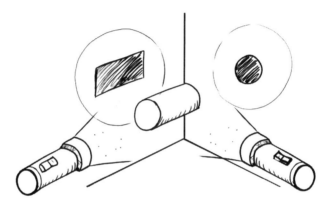

Si te mantienes en una misma posición, por inercia te estancas. Cuando los hijos llegan a ser papás suelen decir: "Qué razón tenías, papá", porque desde su nueva posición de padres ven otra perspectiva del mundo, pero el problema es que si traen el software limitado, ven el mundo desde la posición de papás pero descartan la perspectiva de los hijos. Es como si el software limitado sólo aceptara una posición y en automático borrara las perspectivas anteriores. Pero eso vale madre porque a veces las personas seguimos siendo estrechas de mente, sólo cambiamos el ángulo de *estrechez* y esto se trata de ampliar, de tener más de dos ángulos. Digamos que el defecto del software tradicional es que sólo aceptaba una posición porque partía del principio de que hay una postura correcta, pero la mente 4D parte de la idea de que dos realidades opuestas pueden ser verdades al mismo tiempo, y eso en automático multiplica las posibilidades. Bajo una perspectiva única y correcta existe "el camino" como única opción para solucionar las cosas, bajo la nueva perspectiva hay múltiples caminos y muchos de ellos nos llevan a buen puerto.

Entonces, cambiar de posición puede ser ver el mundo desde el lugar en donde están tus clientes, pero eso no significa que dejes de pensar en tus propios intereses. El otro día fui a un restaurante de un amigo de Venecia y tenía un letrero desafiante que decía: "El cliente no siempre tiene la razón". En la conversación que tuvimos me dijo que era muy importante la experiencia del cliente y que había que ver el mundo desde ese lugar, pero que no por ver la postura del cliente se le podía olvidar cuál era su sueño, por qué puso él ese restaurante, porque según me decía muchos restaurantes son sumisos y esclavos de los clientes y se olvidan de que su concepto es también compartir lo que ellos tienen para dar, no se trata de darle gusto al mercado olvidándote de ti, ni tampoco de hacer lo que te da la gana sin entender al mercado, o sea, ¿puedo entender las necesidades de mis clientes sin olvidarme de lo que yo quiero?, es lo mismo que cuando te encuentras a alguien que siempre está pensando en cómo satisfacer a su pareja, ¿cómo la conquisto?, ¿cómo la hago disfrutar más?, pero si esta persona se olvida de su propio placer y de sus necesidades estará jodiéndose a sí misma, y lo peor, jodiendo la relación, porque curiosamente pareja significa "pareja", no "dispareja". En el otro polo tenemos a la persona que sólo piensa en su negocio, sin poner atención en el placer de su cliente y que desde esa posición termina limitando el placer y perdiendo el negocio. Desde el software tradicional, uno tiene que elegir entre sumiso y egoísta, de hecho uno es valor y otro es antivalor, pero si actualizamos nuestro software a 4D podemos pensar: ¿cómo le hago para ser un santo entregado a satisfacer al otro, siendo al mismo tiempo un hijo de pulque que prioriza su propia satisfacción? Me pregunto en cuál de estos polos te encuentras y qué tan descabellada te parece la idea de que dos verdades aparentemente opuestas puedan convivir amigablemente en tu cerebro.

¿Desde qué otras posiciones necesitas ver tu proyecto?

¿Qué ángulos no te has atrevido a ver?

Cuando un proyecto de innovación implica crecer y ganar, el que diseñó el proyecto sólo está viendo las ganancias, pero muchas veces hay otra parte del sistema que sale perjudicada con el crecimiento; si tú no eres capaz de ver la otra parte tienes más riesgo de sabotaje. A ver, supongamos que quieres dejar de fumar: una parte de ti está muy entusiasmada ante la perspectiva de mayor salud y de un olor menos nauseabundo, pero otra parte tuya está angustiada y apanicada porque le van a quitar el instrumento con el que logra lidiar con su ansiedad. Si tú sólo tomas en cuenta el entusiasmo pero no escuchas desde la otra posición, terminarás en autosabotaje, igual que quien se pone a dieta sin escuchar a su parte tragona o quien crece económicamente sin hacerle caso a la parte de sí mismo que quiere menos éxito y más placer, descanso y una vida más bohemia. Es decir, en todo proyecto hay quien sale ganando y quien sale perdiendo, y para un *disrupto* es vital considerar todas las partes, por eso tu software 4D tiene una función para detectar posibles sabotajes:

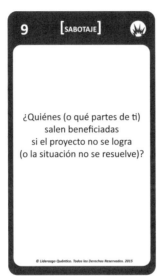

9   [SABOTAJE]

¿Quiénes (o qué partes de ti)
salen beneficiadas
si el proyecto no se logra
(o la situación no se resuelve)?

El enemigo de la innovación es la parte de ti que está cómoda con tu realidad actual.

© Liderazgo Quántico. Todos los Derechos Reservados. 2015

LA PREGUNTA ◆	¿Quiénes (o qué partes de ti) salen beneficiados si la situación no se resuelve?
VIDA ◆	Si sigo así, mi adolescente interior seguirá muy a gusto. Hay algo dentro de mí que se resiste completamente al compromiso.
NEGOCIOS ◆	El área de ventas se siente amenazada ante la posibilidad de esta innovación, porque si no hacemos cambios ellos seguirán recibiendo dinero de cuentas a las que ya no atienden. Si no los subimos al barco, ellos encontrarán la forma de sabotear esta innovación.
PAREJA ◆	Hay una parte de mí que se resiste a ser mamá de nuevo; si no tenemos otro hijo me voy a sentir muy feliz, pero si lo tengo sé que de una u otra forma voy a sabotear las cosas.

Haciéndole esta misma pregunta a una empresa transnacional, su director me decía: "En este proyecto todos salen beneficiados, no hay nadie a quien le perjudique", pero unos minutos después me dijo que quizás habría una parte de los supervisores que se resistiría al proyecto porque tendrían que hacer muchos más reportes y habría más exigencias en su desempeño. Yo le expliqué que probablemente los supervisores no se iban a oponer conscientemente porque desde el punto de vista racional el proyecto tiene toda la lógica del mundo, pero en el universo hay más fuerzas que las de la razón, y aunque no fuera de forma consciente las personas se resistirían, porque a fin de cuentas el proyecto las beneficia pero también les implica más trabajo. Ver las cosas desde otra posición es no clavarse en la idea de "cómo deberían reaccionar los supervisores", porque el "cómo deberían" habla de los juicios del director y no de la psique de los supervisores; en cambio, si nos ponemos a pensar en que es probable que se resistan podemos también hacer estrategias para que no suceda así, podríamos empezar a preguntarnos ¿cómo le hacemos para que los supervisores se suban al barco?, ¿cómo le hacemos para convertir la resistencia de los supervisores en una fuerza a favor de nuestro proyecto? Negando las posiciones negativas o pesimistas no enriquecemos el proyecto, más bien propiciamos que nuestro miedo no nos permita ver otras caras de la realidad, y pensando en innovación disruptiva es muy importante ver todas las fuerzas, porque si el mundo está en constante cambio nosotros tenemos que ver cómo le hacemos para que esos cambios jueguen a nuestro favor. El economista Nassim Nicholas Taleb nos dice que nuestra era es tan rápida que las empresas más exitosas son las que se benefician del cambio.

Hay que atreverse a imaginarse las peores expectativas:

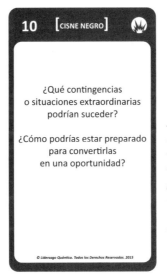

10 [CISNE NEGRO]

¿Qué contingencias o situaciones extraordinarias podrían suceder?

¿Cómo podrías estar preparado para convertirlas en una oportunidad?

Los proyectos comunes truenan con lo inesperado, pero los proyectos innovadores hacen millones con las contingencias.

© Liderazgo Quántico. Todos los Derechos Reservados. 2015

LA PREGUNTA ◆	¿Qué contingencias o situaciones extraordinarias podrían suceder?, ¿cómo podrías estar preparado para convertirlas en una oportunidad?
VIDA ◆	Si por ejemplo el Seguro Social o mi compañía aseguradora tronara, yo podría estar preparado teniendo diversificado mi plan de retiro.
NEGOCIOS ◆	Que el partido que en las elecciones pasadas tuvo la minoría de votos ahora ganara la presidencia. En ese caso el mercado cambiaría completamente; la pregunta para mí es: ¿qué tendríamos que hacer nosotros para ser los más beneficiados con ese cambio?
PAREJA ◆	Si uno de los dos se quedara sin trabajo sería genial que tuviéramos ya en el horno un negocio al que nos pudiéramos dedicar.

Hasta ahora hemos visto que puedes usar tu mente desafiante para confrontar tu proyecto o que puedes ver las cosas con diferentes lentes o desde distintas posiciones, pero a veces ni con todo eso logras darle la vuelta a una situación, es como si tu cerebro se quedara trabado, ¿qué haces cuando tu compu se traba y de ninguna manera la logras desatorar?… la reseteas, ¿no?

¿Cómo le instalas a tu software 4D la posibilidad de resetear? Hay dos caminos, el primero es mandar todo a la jodida e irte a correr, a caminar, a echarte unos vinos o cualquier sustancia que en tu escala de valores esté aprobada, o sea, hacer cualquier cosa que te desconecte del proyecto para que tu mente se libere del círculo en el que ha caído. Por eso cuando estamos en el trabajo de pensar de forma innovadora hay que hacer pausas cuando sea necesario, porque la mente requiere descanso, y aunque algunos workahólicos no lo crean, si no descansas terminarás siendo una especie de robot inservible, disco rayado o cerebro quemado. A los equipos que están trabajando en proyectos de innovación les recomiendo poner atención en que su mente siempre esté fresca, relajada, y que cuando se bloqueen la reseteen con alguna actividad totalmente ajena al proyecto; es lo mismo que si tienes dos horas discutiendo un tema con tu pareja o con el equipo, lo mejor es hacer una pausa, irse a caminar y ponerle fecha a una siguiente reunión donde ya hayan procesado todos esos datos que les tenían atascado el cerebro.

El otro camino para resetear la mente en proyectos de innovación es desordenar y reordenar. Si tú escribes tus planteamientos en un texto de Word es muy difícil desordenarlos y reordenarlos, porque están plasmados linealmente, pero lo que puedes hacer es ponerlos en fichas, etiquetas o post-it y revolverlos como si estuvieras haciendo la sopa del dominó o desarmando y rearmando una figura hecha con legos,[4] porque al reordenarlos podrás reentender, reorganizar, rerromper, recuestionar, rerreírte, reenojarte, remojarte, resecarte y re-re-re-pensar hasta resetear y restructurar tu idea. Hacerlo de forma visual te permitirá descubrir muchos más hallazgos y replanteamientos más radicales que si sólo lo haces verbalmente.

---

[4] Lego es una empresa danesa de juguetes reconocida principalmente por sus bloques de plástico interconectables con los que puedes armar figuras.

11 [ROMPER EL ORDEN]

Ordena visualmente los elementos de esta situación, desordénalos y luego reordénalos con otro criterio.

¿Qué descubres con este nuevo planteamiento?

© Liderazgo Quántico. Todos los Derechos Reservados. 2015

Los niños descubren su realidad destruyendo sus juguetes, los disruptos destruyendo sus planteamientos.

LA PREGUNTA ◆	Ordena visualmente los elementos de esta situación, desordénalos y luego reordénalos con otro criterio. ¿Qué descubres con este nuevo planteamiento?
VIDA ◆	La forma en que lo planteé es que los logros me traerán la felicidad, pero al destruir el esquema veo que otra perspectiva es que la felicidad podría traerme los logros.
NEGOCIOS ◆	Originalmente yo veía los productos como el centro del sistema, pero creo que deberían de ser los clientes; aunque si soy sincero, en realidad los vendedores son el centro. Lo cual creo que no está bien.
PAREJA ◆	En mi planteamiento original en la noche es el momento del sexo, pero al reordenarlo me sinceré conmigo mismo y vi que en la noche estamos cansadísimos, porque en el día nos acabamos la energía en el trabajo y en nuestros seis hijos... Moraleja: probemos más los mañaneros.

Desde que hablamos de la posición mental del explorador empezamos a ampliar nuestro panorama, nos salimos de nuestra caja para ver nuevas posibilidades, y después con el *disrupto* hemos confrontado y visto las cosas desde diferentes lugares, pero si queremos innovar es muy importante que vayamos haciendo conexiones que nos permitan ya no sólo enriquecer nuestra perspectiva, sino descifrar el sistema y encontrar cómo romperlo o revolucionarlo. En innovación, una capacidad que se considera vital es justamente ésa, la de conectar los puntos, la de asociar una cosa con otra para ir entendiendo qué está pasando. Es muy famoso el discurso del buen Esteban Jobs en el que dice que cuando estudió tipografías no sabía para qué le iba a servir ese conocimiento, pero después al conectar los puntos descubrió que eso le ayudó a revolucionar la experiencia que hoy tenemos ante un dispositivo, en el que de la forma más sencilla podemos elegir qué tipografía usar.

Conectar los puntos es relacionar lo que aparentemente es no-relacionable para comprender mejor el sistema en el que está tu proyecto y así diseñar acciones más poderosas. Uno de los mejores ejercicios que conozco para conectar los puntos es el de *la telaraña*, también necesitarás fichas o post-it y una pared, porque utilizarás toda tu capacidad de conectar los puntos para descubrir los patrones ocultos en el sistema.

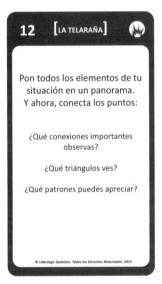

> *La inteligencia no consiste en la cantidad de información que se tiene, sino en la capacidad de conectar mundos diferentes.*

LA PREGUNTA ◆	Pon todos los elementos de tu situación en un panorama. Ahora conecta los puntos: a) ¿Qué conexiones importantes observas? b) ¿Qué triángulos ves? c) ¿Qué patrones puedes apreciar?
VIDA ◆	Conexión: El enojo que traigo guardado tiene una conexión directa con el tiempo que no me doy a mí mismo. Triángulo: El trabajo, el miedo a no tener dinero y la necesidad de estatus crean en mí el triángulo de la miseria. Patrón: Cada que me animo a emprender me asusta no tener un ingreso seguro y regreso a pedir empleo.
NEGOCIOS ◆	Conexión: Relaciono mucho la falta de ventas con la falta de comunicación que hay entre equipos de distintas áreas. Triángulo: Tecnología, redes y tiempo para innovar son nuestro triángulo del futuro. Patrón: Al ver el panorama que grafiqué me cae el veinte de que cada que aumentamos las ventas hay conflicto entre las áreas y nos volvemos a regresar.
PAREJA ◆	Conexión: Hay una relación muy estrecha entre el distanciamiento y el miedo al placer. Triángulo: La excesiva atención a nuestros hijos, la presión de los suegros y las deudas en la tarjeta de crédito crean el triángulo al que yo le llamaría "eres invisible". Patrón: Cada que la relación se estanca tenemos un hijo con el que pretendemos arreglar las cosas. Al paso que vamos con este patrón acabaremos con 10 hijos.

Se me ocurrió este ejercicio de la telaraña cuando vi la película hollywoodense *Una mente brillante*, porque si recuerdas John Nash, el premio Nobel al que interpreta Russell Crowe, cree que es agente de la CIA, y con la esquizofrenia paranoide que tiene hace recortes de revistas y va creando triángulos acerca de las relaciones que él ve en las cosas hasta llegar a sus conclusiones.

Llevado a tu proyecto, la idea es que liberes a tu esquizofrénico paranoide interior y que con esa mente *sospechosista* te pongas a buscar conexiones y patrones escondidos detrás de la realidad aparente. Un esquizofrénico no es un loco sin sentido, es una persona que ve más allá, pero que no puede controlar lo que sus voces le dicen ni distinguir qué cosas pertenecen a la realidad de afuera y cuáles pertenecen a la realidad de adentro; pero curiosamente cuando un esquizofrénico logra encaminar su energía en el arte, en la danza, en la actuación o, como John Nash, en la ciencia, un esquizofrénico es una mente brillante, sólo que encerrado en una sociedad que le gusta pero le asusta lo diferente.

La buena-mala noticia es que aunque tú y yo no estemos diagnosticados como esquizofrénicos paranoides, cuando menos tenemos el potencial esquizoide y podemos canalizar esa energía en nuestros proyectos; acuérdate que lo que en psiquiatría es patología, en innovación es un pinche talento a canalizar.

Hace unas semanas estaba con un grupo de innovación e hicimos el ejercicio de la telaraña y un ingeniero comentó: "Me gusta esto de la telaraña porque encuentras la causa raíz", pero yo le expliqué que cuando dice "causa raíz" está usando un pensamiento lineal en el que pareciera que hay una sola cosa que provoca todo y que la telaraña es más bien un juego sistémico que nos ayuda a encontrar los muchos factores, los múltiples patrones, asociaciones o, dicho de otra forma, los hilos que se mueven para que las cosas sucedan.

El software tradicional de nuestra mente trae una función causa-efecto en la que la persona siempre se pregunta: "¿Por qué pasó esto?, ¿cuál fue la causa?", pero lo que el *disrupto* se pregunta es: "¿Qué factores influyen para que esté pasando esto?, ¿cuáles tienen más peso?, "¿cuáles hilos puedo jalar para revolucionar el sistema?"

Imagínate que tu software mental antes traía este menú:

Lentes monocromáticos: te ayudan a tener una visión estrecha y gris de la realidad.

Posición única: aburrimiento total, se trata de ver las cosas sólo desde tu lugar.

Función causa raíz: este módulo te ayuda a pensar que hay una sola causa de todo lo que sucede y limita tus posibilidades de solución.

Triturador de ideas: este botón te sirve para descartar todas las ideas que no se parecen a las tuyas y convertirte en un auténtico e intolerante matapasiones.

Pero observa que ahora que lo has actualizado para ser más *disrupto*, tu software mental trae las siguientes características:

Cambiador de filtro: te ayuda a ver la realidad con diferentes ojos.

Cambiador de posición: te ayuda a ver tu proyecto desde diferentes ángulos y en 4D; hay tantas perspectivas para innovar como variantes sexuales.

Reseteador: te ayuda a desordenar y reordenar tus pensamientos para crear nuevas soluciones.

Conecta puntos: te ayuda a descubrir las principales conexiones y patrones para que revoluciones el sistema.

En tu nuevo software la papelera de reciclaje es un desechador de chatarra mental, para que tu mente siga fresca para nuevas ideas.

El último punto de este software mental es la papelera de reciclaje; imagínate lo difícil que puede ser acuñar nuevas ideas cuando tenemos nuestro almacén atascado de procesos, principios y costumbres que no nos atrevemos a desechar.

Ante todo, la posición mental del *disrupto* es una postura de desapego, de no casarse con nada, ni siquiera con lo que tú mismo has propuesto. Bien decía Van Gogh que el hombre es esclavo de su propio modelo, y para innovar los impresionistas y los expresionistas tuvieron que desechar a la basura muchas de las cosas que el *establishment* decía sobre el arte, por eso me imagino que a la gente que no innova le hace falta su botón de descarga de archivos viejos, o sea, si no haces del baño ¿cómo te van a dar ganas de comer de nuevo?, o dicho de otra forma, el estreñimiento intelectual es la enfermedad provocada por no tener instalado en tu software mental un W.C. neuronal. A causa de este serio padecimiento institucional hoy en día miles de empresas en el mundo mueren de peritonitis, aunque con orgullo se llevan a la tumba todos sus manuales caducos.

Si quieres activar la papelera de reciclaje de tu mente pregúntate lo siguiente con respecto a tu proyecto:

13 [VACAS SAGRADAS]

¿Qué prácticas o hábitos intocables están obstruyendo el éxito?

La innovación está en desafiar aquellas ideas y costumbres que hemos vuelto sagradas e incuestionables.

LA PREGUNTA ◆	¿Qué prácticas o hábitos intocables están obstruyendo el éxito?
VIDA ◆	Ya basta con la idea que me impusieron en casa de que buscara un empleo seguro, porque cada que me dan un trabajo me corren; ¿cuál seguro?, mejor emprendo.
NEGOCIOS ◆	En la empresa tenemos unos cien procesos incuestionables que hacen que una compañía de cien personas sea más lenta y burócrata que una de diez mil, ¿hago la lista?
PAREJA ◆	Creemos que para tener relaciones sexuales debemos estar contentos... ¿Qué pasaría si desechamos esa idea y nos permitimos usar el enojo como una energía erótica de vez en cuando?

Dejé el tema de la papelera de reciclaje para el clímax de este capítulo, porque si te fijas, para llegar al clímax se requiere aprender a soltar, abandonarte al momento y dejar a un lado todos los conceptos que tienes sobre ti. No es adivinanza, pero ¿de qué estoy hablando?, ¿de la capacidad de desapegarse de las ideas o de un orgasmo?… De las dos cosas, desde luego.

Recuerda ese momento en que estabas con tu pareja sintiendo la temperatura, saboreando lo salado del sudor, soltando las cuerdas vocales, moviendo la cadera y todos los músculos sin control, y de pronto, cuando menos te lo esperabas, ya no recordabas quién eras ni cuál era tu nombre, ni tu género, ni tu puesto, ni tu saldo en la tarjeta, porque, como me imagino que lo has sentido muchas veces, un verdadero orgasmo es ese instante infinito en que sueltas todo, es como aventarte de espaldas 40 metros, pero en lugar de que caigas al suelo la vida te abraza como premiándote por el valor de dejar de ser lo que creías que eras.

Ahora imagínate lo que pasa cuando te interrumpes y todas las voces en tu cabeza te empiezan a decir: "¿Lo estaré haciendo bien?", "¿le estará gustando?", "¿en dónde aprendió a hacer eso?", y por no desapegarte te pierdes de la vida.

Es lo mismo que un ejecutivo que está en una reunión de innovación y que en vez de disfrutar, soltar el control y abandonarse al momento en que su mente vive un orgasmo intelectual se pone a pensar: "Qué mala idea", "¿por qué no están considerando lo que yo dije?", "¿estaré luciendo lo suficiente para que me den un ascenso?", y en lugar de estar en el presente, soltándose, está instalado en la necesidad de control, y control y orgasmo son antónimos. No se logra todo el tiempo ni todas las veces, pero la experiencia de fluir y soltarte es la que te permite desapegarte y vaciar y soltar todo lo que no te sirve y te limita, aquello a lo que solías estar apegado y que te ha venido deteniendo.

Dicen que el orgasmo es una muerte chiquita, también la mente *disrupta* lo es, es la pequeña muerte de tus apegos, ideas preconcebidas y miedos.

> *Que se consuma, puesto que es llama, pero que sea infinito mientras dure.*
> —Vinícius de Moraes, sobre el orgasmo

Regresa a tu proyecto y pregúntate:

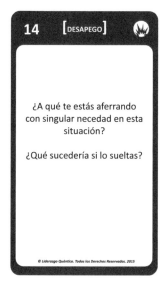

14 [DESAPEGO]

¿A qué te estás aferrando con singular necedad en esta situación?

¿Qué sucedería si lo sueltas?

Las ideas son buenas amantes pero malas esposas. Moraleja: Ten sexo con tus ideas pero no te cases con ellas.

© Liderazgo Quántico. Todos los Derechos Reservados. 2015

LA PREGUNTA ◆	¿A qué te estás aferrando con singular necedad en esta situación?, ¿qué sucedería si lo sueltas?
VIDA ◆	Me estoy convirtiendo en una de esas personas que viven para demostrar que valen. Si lo soltara, tendría una vida más feliz y menos pretenciosa.
NEGOCIOS ◆	Me estoy aferrando a un negocio donde hay mucha competencia y poco margen. Si lo soltara, cambiaría un poco mi giro y estaría en un mercado virgen, pero me cuesta trabajo porque este mercado ha sido la tradición en mi familia por dos generaciones.
PAREJA ◆	Me estoy aferrando a una pareja que ni siquiera tiene un cien por ciento de compromiso conmigo. Más que amor, parece berrinche. Si lo suelto, seguro llegarían solitos más candidatos/as para mí.

EL *DISRUPTO* EN SÍNTESIS

- La segunda posición mental del *Kamasutra de la innovación* es el *disrupto*.
- Se trata de una posición mental en la que cuestionas y ves la realidad desde todos los ángulos posibles para romper paradigmas.
- Las características del *disrupto* son: la mente desafiante y la mente 4D.
- La mente desafiante es una energía transgresora para:
  1) *Disruptizar* lo incuestionable.
  2) Hacerle al abogado del diablo.
  3) Descubrir los problemas correctos con un toque de irreverencia, sarcasmo y sentido del humor.
- La mente 4D es actualizar tu *software* cerebral para ver las cosas:
  1) Con diferentes lentes.
  2) Desde diferentes posiciones.
  3) Desordenando y reordenando.
  4) Conectando los puntos.
  5) Desapegándote de tus propias ideas.

Retrato del *Disrupto*

Del 0 al 10, ¿qué tanto te identificas con las luces y sombras de un *disrupto*?

____ Soy una persona irreverente, experta en poner las cosas de cabeza.

____ Podrían decir que soy *contreras*, pero es que me gusta lo diferente, la contracultura, lo alternativo, tanto en música, espectáculos, literatura o comida.

____ Tengo un gran sentido del humor, no sólo sé contar chistes, tengo talento hasta para inventarlos.

____ Cuando no soy prudente suelo ser incómodo, puedo escandalizar con mis ideas o perder algún amigo por dar mis puntos de vista en contextos no adecuados.

____ *¿Qué me mueve?* Revolucionar o cambiar las cosas y ser original por encima del resultado.

____ *¿Mi atrevimiento?* Confrontar lo que nadie se anima a cuestionar.

___ *¿Mi miedo?* Ser del montón, que me vean como un borrego.

___ *¿Qué le aporto a mi equipo?* Por lo regular ofrezco puntos de vista alternativos, perspectivas más radicales y descabelladas con las que se pueden transformar realidades.

___ *¿En qué afecto a mi equipo?* Paradójicamente me puedo aferrar a mis puntos de vista no-tradicionales. En extremo puedo ser hiriente o intolerante con mis compañeros, sobre todo si considero que sus puntos de vista son ordinarios.

___ *En el sexo como en la innovación:* me gusta ser original, me atrae lo que va contra las normas, lo que no está permitido me excita.

Suma tus resultados y divídelos entre 10:_____

RECOMENDACIONES

SI TE IDENTIFICAS COMO *DISRUPTO* (+ de 7 puntos):

—*Aprovecha tu talento:* A la sociedad le gusta y le asusta tu visión divergente de la realidad. Pero recuerda que tu fuerza disruptiva ha desempantanado al mundo por siglos.

—*Inteligencia colectiva:* Busca socios, aliados y compañeros que te ayuden a dar forma, aterrizar planes, darle continuidad a ideas y proyectos. Rodéate de personas que tengan una estructura mental que permita reconstruir lo que atinadamente tú destruyes.

(Tu pensamiento divergente) × (estructura mental) = (resultados sorprendentes).

—*Trabájale:* No todo el tiempo es momento de romper, también hay que explorar, aterrizar las ideas y dar tiempo.

Tu nivel de agudeza y crítica es tan fuerte que cuando te burlas y te críticas a ti mismo te paralizas. Sé más permisivo contigo y con los demás.

—*En el sexo:* Atrévete a disfrutar las cosas ordinarias, no sólo de las originales. Como reto, goza el misionero tradicional.

SI NO TE IDENTIFICAS CON EL *DISRUPTO* (– de 7 puntos)

—*Trabájale:* La posición de *disrupto* se ejercita primero que nada aprendiendo a burlarte de lo establecido: ríete de ti, te aseguro que sí das motivos. Aprende a romper sin culpa.

—*Deshazte de las siguientes ideas:*
 a) Hay cosas que nunca cambiarán.
 b) En la vida se es o no se es. Blanco o negro.
 c) Hay una sola verdad.

—*En el sexo:* Ve más allá de lo que hasta ahora te has atrevido, poco a poco empuja tus límites, ¡Cambia!, cambia la hora, el lugar, el atuendo, las palabras; haz todo aquello que considerabas irreverente, para que te vayas sacudiendo poco a poco la frigidez innovativa.

—*Inteligencia colectiva:* Busca socios, aliados y compañeros *disruptos* y déjate contagiar con su energía. Luego, en el momento en que lo consideren adecuado, tú les podrás ayudar a aterrizar y dar estructura.

Si persisten las molestias consulta a tu *coach* de cabecera.

CREATIVO

◆

El arte de mezclar y experimentar
para cambiar realidades

La tercera posición mental del *Kamasutra de la innovación* es el creativo, ya que después de explorar mundos y romper paradigmas llegó el momento de crear soluciones.

En la posición mental del explorador somos preguntadores, actuamos como marcianos curiosos por descubrir nuevos mundos.

En la del *disrupto* somos agudos, con humor negro y *disruptizamos* hasta reventar el molde.

La posición mental del creativo es muy diferente, ni la neutralidad curiosa del explorador, ni la agudeza irreverente del *disrupto*, la energía del creativo tiene que ver con una combinación de atrevimiento e imaginación, con el valor de mezclar cosas que aparentemente no son combinables e idear soluciones que se salen de lo común, es decir:

Experimentar (probar en físico) + Imaginar (probar en
la mente) = Posición mental del creativo

Nikola Tesla era un inventor que mezclaba y experimentaba en su cabeza, visualizaba de forma tan poderosa que tenía muy pocos intentos fallidos, casi siempre cuando probaba algo ya lo había probado en su mente, y el resultado era muy parecido a lo que había visualizado. Tesla era un genio extraordinario, con una imaginación superlativa.

Edison también era un genio, pero diferente; él necesitaba hacer más experimentos "físicos" y no sólo probar en su imaginación, tenía que probar en la realidad.

Hay veces que ideamos cosas y las tenemos tan claras que es como si sacáramos a nuestro Tesla interior, porque simplemente ponemos en práctica una idea sin hacer pruebas previas. ¿Qué cosa recuerdas haber imaginado y que te salió bien a la primera sin necesitar hacer un experimento?

Yo recuerdo haber hecho muchos cambios locos en mis cursos y haberlos aplicado directamente cuando estaba con mis clientes, eran actividades o *sketches* tan sencillos que los visualizaba en la mente y de ahí los llevaba a la práctica, pero también recuerdo otras cosas en las que primero he probado "a lo Edison", porque en esos casos le pido a mi equipo que me apoye siendo "ratón de laboratorio", pruebo, ajusto y luego lo aplico con mis clientes.

Digamos que el "Tesla interior" funciona en unas ocasiones, pero en otras necesitamos hacer experimentos para ir ajustando y ajustando, fracasando y fracasando, hasta que, al "estilo Edison", acumulamos nuestros 99 fracasos, aprendemos cómo no hacer las cosas y por fin llegamos al resultado.

Cuando un experimento no funcionaba, Edison no se decepcionaba, al contrario, se alegraba porque había encontrado otra manera de no hacer calabazas luminosas.

Algunos de los juegos didácticos que he diseñado los he tenido que probar con muchas personas, equivocarme una y otra vez, hasta que quedan bien, y aun cuando quedan bien necesito seguir probando para poderlos mejorar.

¿En qué cosas tú recuerdas haber tenido que experimentar y fracasar muchas veces hasta que le diste al clavo?

¿En qué otras situaciones no te has permitido experimentar lo suficiente y por eso tal vez no has salido de lo mismo?

A veces preferimos quedarnos con un éxito conservador porque no nos arriesgamos a tener fracasos rimbombantes. El otro día una de mis amigas imaginarias me preguntaba qué había que hacer cuando se fracasaba, y yo le decía que una fiesta, porque:

Hay gente tan mediocre, que nunca fracasa.

¿Con quién te identificas más?

¿Eres persistente y metódicamente creativo como Edison?

¿O tu fuerte es la imaginación, como el reservado e incansable Tesla?

¿O de plano ni lo uno ni lo otro porque no te das tiempo de experimentar ni de imaginar?, en cuyo caso no te preocupes, no es falta de capacidad sino de práctica; si se te antoja y no te pones resistente, en este capítulo perderás la virginidad-creativa.

Lo primero que haremos será fortalecer esa capacidad de experimentar a lo Edison y luego, ya que estemos calientitos, aprenderemos a desatar esa genialidad superlativa tipo Tesla.

Fíjate que Tesla fue un superhombre, aunque me decepcionó saber que a pesar de que las chavas caían a sus pies decidió ser célibe para canalizar toda su energía en sus inventos, hacia cien flexiones con los dedos del pie, todos los días, para provocar nuevas conexiones neuronales, y también era vegetariano. No me imagino proponerte en el *Kamasutra de la innovación* que seas célibe o célibe, porque debe de haber otros métodos para canalizar tu energía. Mis respetos para Tesla, pero es un precio que a muchos no nos gustaría pagar; la innovación es importante, pero tampoco es para tanto, ¿tú qué dices? Además no tenemos la certeza de que esos factores realmente le ayudaron a desarrollar esa gran imaginación, porque quizá sólo eran excentricidades de un genio superdotado con un coeficiente intelectual superior al promedio. Lo bueno es que ahora sabemos que ejercitando nuestro cerebro podemos aumentar nuestro potencial para imaginar a cualquier edad, y eso vamos a hacer… ¡esperemos que sin sacrificar el sexo!, ¿verdad?

A pesar de que Tesla fue empleado de Edison, lo superaba en potencial creativo por mucho, pero lo que me encanta de Edison es que siendo tan… humano, socarrón, avaro, ambicioso, probó y probó y probó y probó hasta que le dio al clavo, perdón, al foco, y así llegó a registrar más de mil patentes.

Tesla era empleado de Edison y después siguió su camino.

Pero la intención de este capítulo es que tu Edison y tu Tesla interior escriban otra historia, que no se separen, acaben peleados o siendo competencia:

La idea es que se conviertan en un solo equipo, en donde pruebes y pruebes mientras vas liberando toda la imaginación que habita en tu mente, sin que tu ego se interponga.

Esto se tratará de enfocar tu mente en probar y probar, al mismo tiempo que te reconcilias con tu imaginación.

La posición mental del creativo se divide en estas dos características:

- ✓ *Mente de laboratorio:* Primero veremos cómo construir una mente en la que nos atrevamos a probar hasta encontrar nuestro "foco".
- ✓ *Genio liberado:* Practicaremos técnicas sanas para despertar nuestra genialidad.

MENTE DE LABORATORIO

Primera característica de la posición mental del creativo

¿Cuántas ideas buenas desperdiciamos porque simplemente no probamos? Muchas personas afirman no ser creativas, pero quizá no han hecho una cantidad de pruebas suficiente como para saber si lo son o no.

Imagínate que un compañero tuyo da una idea en una reunión que suena interesante pero al mismo tiempo muy arriesgada, ¿qué hacer?, ¿implementarla en toda la empresa o desecharla?…

¡No!

Ni lo uno ni lo otro.

Más bien hay que hacer un experimento, hay que probar, probar y probar a lo Edison.

La fórmula es muy sencilla: entre más riesgo conlleve una idea más hay que "pilotearla", o sea, hacer pruebas o experimentar en un espacio contenido y seguro donde equivocarnos no salga tan caro; por ejemplo, si vamos a cambiar la forma de atender a nuestros clientes, no hacemos el cambio de golpe y porrazo con nuestros 10 000 clientes, sino que tomamos un piloto de unos 10 en una región específica y hacemos el experimento, luego vamos ajustando, mezclando nuevos elementos, hasta que nuestro nuevo estilo de ventas queda superchingón y entonces sí lo replicamos en toda la empresa.

Esto de hacer experimentos implica todo un cambio cultural, un cambio en tu vida o en la de tu empresa, que puedes iniciar a partir de hoy. El cambio es fuerte si creciste en una cultura perfeccionista y vives con la idea de que todo lo debes hacer bien, que más que hacer experimentos debes demostrar lo bueno que eres. La visión perfeccionista mata la creatividad. El creativo necesita una mente de laboratorio, un espacio para arriesgarse, una atmósfera donde equivocarse no le quite el amor de quien lo rodea ni la aprobación de su empresa. ¿Cómo puedes empezar?, podrías hacer pequeños experimentos en tu vida cotidiana; ¿qué pasaría si llegas con tu pareja y le dices: "Vamos echándonos un 'pilotazo' mi amor"?, y entonces le propones hacer algo sencillo que no sabes si les va a gustar o no, pero ésa es la idea de experimentar, porque si fuera seguro que les va a gustar, pues no sería ningún pinche experimento.

A mí me pasa que voy a comprar una botella de vino y como que mi conservador interior se va luego luego con las uvas y las regiones que ya conozco y son de mi gusto; pero si quiero ampliar mi mente de laboratorio necesito probar lo que no conozco, sólo entonces descubriré si me gusta o no, o cuándo sí me gusta y cuándo no.

Porque si no estaré como el de la canción: "Mi gusto es, ¿y quién me lo quitará?, solamente Dios del cielo me lo quita", pero pues qué feo, ¿no?, esperarme hasta otro plano para quitarme lo rígido.

Lo mismo sucede con la comida, con el sexo, con el trabajo, con el deporte y todo eso. Ya ves que dicen que el hombre es un animal de costumbres, pero cuando menos podemos tratar de que un buen porcentaje de la vida seamos seres de creatividad, ¿no?; esto sin ser despectivo con mis amigos los otros animales, que tienen preocupaciones y misiones diferentes a las de nosotros los humanos, ¿verdad?

Me gustaría que la siguiente pregunta te la hagas con respecto a tu proyecto, y por qué no, también a tu vida:

Lo viejo en creatividad: que se te prenda el foco. Lo nuevo: experimentar.

LA PREGUNTA ◆	¿Qué cosa diferente a lo que ya has hecho podrías experimentar?
VIDA ◆	En este proyecto que tengo de buscar un nuevo estilo de vida voy a probar durante un mes qué pasa si tengo mi bici en la oficina y la uso para irme a comer.
NEGOCIOS ◆	En los primeros 20 minutos de las juntas de dirección de este mes voy a dejar que hable mi equipo y yo sólo voy a escuchar y hacer anotaciones. Vamos a ver qué pasa.
PAREJA ◆	Le voy a proponer a mi pareja que este mes tengamos fantasías sexuales con los villanos de nuestras novelas favoritas.

Para hacer experimentos tanto en tu vida como en proyectos de negocio es muy importante poner periodos de prueba y asignar recursos:

Periodo de prueba

Tu pareja y tú quedan de probar si es una buena opción pelearse en el parque en lugar de la cama, pero prueban una sola vez, y resulta que esa vez andaban de malas, las hormonas estaban haciendo travesuras o quizás hacía mucho frío o mil circunstancias más, y lo que sucede es que si sólo probaron una vez, realmente no supieron si era una buena idea, porque hay muchos factores alrededor; quizá si decidieran probar tres veces tendrían más elementos para convertir la idea en un hábito o para hacerle ajustes. Lo mismo en los negocios, la encargada de un proyecto de innovación en una empresa constructora me decía que sus archivos estaban llenos de buenas ideas que se necesitaban pulir, pero que nunca lo habían hecho porque no se daban el tiempo de probarlas y ajustarlas y lo que sucedía con la empresa es que organizaban reuniones creativas para seguir acumulando nuevas ideas brillantes que se irían al panteón porque nunca eran probadas por un espacio de tiempo que permitiera ver si funcionaban. ¿Cuánto tiempo o cuántas veces necesitas probar esas ideas que hoy traes?, ¿ir a tres clases de prueba para ver si ese idioma o esas clases de baile son una buena idea para ti?, ¿experimentar con un nuevo tipo de lectura, música, comida o dieta?

Recursos

Hay que tener un porcentaje de tiempo y de dinero asignado al riesgo de forma permanente, es como instalar en tu mente un laboratorio que funciona todo el año y en el que sistemáticamente estás probando y apostando.

Piensa en el dinero, si tú tienes 100 pesos, ¿qué haces con ellos?, ¿ahorras los 100 en algo seguro o pones todo en una inversión de alto riesgo?; ninguna de las dos, ¿verdad?, porque si ahorras todo tu dinero a la segura, el interés será muy bajo, y menor a la inflación, no vas a multiplicar nada, no crearás probabilidades de que pase algo espectacular.

Por otro lado, si apuestas todo tu dinero al alto riesgo estarás actuando como suicida, y aunque como dijo Kasparov: "El que no arriesga en el ajedrez, es seguro que perderá", yo agregaría que el que arriesga todo el tiempo y a lo Borras "se mata solo", porque el chiste es saber dónde, cuándo y cuánto arriesgar.

Ahorita estoy escribiendo en uno de mis cafés favoritos, interrumpí la lectura y platiqué un ratito con la chef, y ella me dice que su porcentaje de riesgo es sacar uno o dos platillos especiales e innovadores a la semana; claro, hay opciones más arriesgadas, como la Ferran Adrià, que cerraba seis meses del año para crear y experimentar y luego abría otros seis meses su restaurante El Bulli. Nunca repetía menú y tomaba en cuenta a cada comensal para sus degustaciones. Ferran Adrià es considerado una de las mentes más creativas de nuestros tiempos.

Tú decides qué porcentaje de tu dinero, tu tiempo, tus proyectos y tu sexualidad quieres arriesgar. ¿Cuál es tu apuesta para crear una mente de laboratorio?

Creo que mínimo hay que usar la fórmula de mi asesor financiero:[1]

Por pura probabilidad, si todo el tiempo apuestas ese 10% va a llegar el momento en que le pegues "al gordo" en la lotería de la innovación.

Muchos de los inventos que han surgido en la historia de la humanidad fueron producto de accidentes, pero por probabilidad

---

[1] En el capítulo "La atmósfera", de la primera parte, te compartí una tabla para detallar tu plan de experimentación 70% en inversión segura, 20% en riesgo moderado y 10% alto riesgo.

está más cerca de uno de estos benditos accidentes quien hace experimentos que quien vive atrapado en la rutina, en la operación haciendo siempre las mismas y aburridas cosas. Los rayos X los descubrió Wilhelm Roentgen *sin querer queriendo*, mientras experimentaba en su laboratorio.

Un día le preguntaron a Roentgen que en qué pensaba cuando estaba en su laboratorio, y contestó que no pensaba, que sólo experimentaba; ésa era su pasión, y de tanto probar y probar, buscar y buscar, las matemáticas nos dicen que encontraremos algo, quizá no encontraremos lo que buscábamos, pero probablemente algo mejor. Roentgen descubrió los rayos X, pero estaba haciendo experimentos con tubos catódicos buscando lograr que ciertas materias se volvieran fluorescentes.

A este fenómeno de buscar un descubrimiento y encontrar otro en ciencia se le llama serendipia.

La idea es que con tu mente de laboratorio experimentes nuevas opciones desde una energía tan *enfermamente-optimista* que te digas:

> "Fracaso a fracaso acumulo más probabilidades de encontrar algo superior a lo que estoy buscando, algo que aún no imagino pero que me va a sorprender a mí y a quienes me rodean."

Evidentemente, crear algo diferente trae como consecuencia dinero y valor, pero la mente de laboratorio no tiene puesta la mente en las utilidades sino en la pasión por experimentar; prueba de ello es que Roentgen, el descubridor de los rayos X, no aceptó que le dieran un título de noble y ni siquiera se mostró interesado en la patente o comercialización de su descubrimiento, su pasión era el laboratorio, no las utilidades que eso podría generar.

No te sugiero que renuncies a generar dinero, sólo que cuando adoptes esta posición mental te entregues completamente y sin reservas a experimentar.

En tu vida personal, ¿cómo podrías tener siempre ese 10% de apuesta para experimentar? Quizás algunas veces haces el amor como ya sabes que te gusta, pero en otras buscas otras formas hasta encontrar el placer prometido, tal vez en la comida, en los vinos, en las vacaciones no siempre estarás experimentando, pero mínimo un buen porcentaje de tu tiempo podrías probar lo nuevo.

Date un instante para pensar y decidir cuánto tiempo y cómo le vas a hacer para que, como dice el eslogan, "experimentar sea parte de tu vida"... Decídelo, escríbelo y ve tomando notas de los hallazgos que consigues, de esta forma tu mente de laboratorio se expandirá rápidamente:

ÁREA DE TU VIDA	EXPERIMENTO QUE HARÉ	PERIODO DE PRUEBA	NOTAS Y HALLAZGOS
SEXO			
RECREACIÓN			
COMIDA			
OTROS			

Te planteé primero la idea de que construyas una mente de laboratorio para tu vida porque es más fácil desarrollar la creatividad en tus negocios si comenzaste contigo mismo. Es difícil que alguien se atreva a probar cosas diferentes en su chamba, cuando en su vida tiene una rutina aburridísima, a fin de cuentas el cerebro que usa en el trabajo es el mismo que trae puesto en la cabeza cuando está en su casa. En lo profesional también es vital asignar sistemáticamente un porcentaje del tiempo a probar lo nuevo; si eres gerente o supervisor o colaborador de una empresa busca de qué forma puedes empezar a hacer experimentos, quizá puedas probar otras formas de hacer juntas, de atender clientes, de retroalimentar a tu equipo o de presentar tus productos.

Date un minuto o tres, ¿cómo puedes desarrollar esta mente de laboratorio en tu día a día laboral?

ÁREA DE TU TRABAJO	EXPERIMENTO QUE HARÉ	PERIODO DE PRUEBA	NOTAS Y HALLAZGOS
CLIENTES			
FINANZAS			
PRODUCTOS			
SERVICIOS			
OTROS			

Y si eres emprendedor, dueño, director o consejero de una empresa, es vital que converses con tu equipo acerca de cómo pueden integrar la mente de laboratorio a su día a día, ¿cómo pueden integrar esta capacidad de experimentar a la estructura de la empresa?, ¿cómo van a construir ese porcentaje de tiempo y espacio en el que los equipos se pueden arriesgar a imaginar, idear y probar?, porque, ¿sabes algo?, nunca he visto nada más absurdo que un director molesto porque su equipo no se atreve a tomar riesgos, cuando en la compañía no hay un espacio para hacerlo.

Si tu equipo viene de una familia con miedo, que está en un país con miedo en una empresa con la cultura del miedo, ¿cómo puedes esperar que las personas se arriesguen a experimentar y tomar riesgos?... No tienen la experiencia para hacerlo.

El primer paso para desarrollar una mente de laboratorio es apostar recursos, apostar tiempo, apostar dinero y entusiasmo para probar, probar, probar, probar y probar.

Luego, ya que uno tiene ese tiempo, ¿qué necesita hacer?

Mezclar

La mente de laboratorio experimenta combinando lo que aparentemente no es combinable.

¿A poco no te ha tocado conocer a alguien que en su cuadriculada estructura neuronal dice: "No hay nada nuevo bajo el sol"?, y sí, si de lo que se trata es de crear algo a partir de cero, así como así, como si fuéramos dioses y en la Capilla Sixtina con nuestro dedo divino tocáramos un proyecto y del vacío apareciera el invento que revolucionará una industria, pues sí, bajo esa perspectiva, la neta: "No hay nada nuevo bajo el sol".

Pero como dice en el libro *Días de contar:*[2] "No hay nada viejo bajo el sol", porque la creatividad que te quiero invitar a

---

[2] Libro de mi papá y mi hermano de cuentos *disruptos* y creativos.

desarrollar no es un poder sobrehumano de creación divina, sino la posibilidad de combinar lo que ya existe de una manera original para crear lo que nunca nadie ha visto. Por eso había que explorar primero, porque entre más elementos descubriste más posibilidades de nuevas combinaciones tendrás y entre más fuiste *disrupto* y rompiste esquemas más fácil te será construir modelos revolucionarios.

Como fuiste explorador y *disrupto* ya no partes de la nada al momento de crear, tienes modelos, inspiración y menos grilletes, lo nuevo surgirá de una combinación original de lo viejo. La creatividad no es generación espontánea sino transmutación de lo que existe para crear lo que no existía.

Pero bueno, si tu expectativa era ser Dios, ahí sí te voy a quedar mal, quizá sería mejor que buscaras algún curso de "creación de soluciones con el tronar de los dedos" o "cómo ser innovador sin destrabar las neuronas" o un libro de "autoayuda megalómana para despertar los poderes alienígenas de mi ser", en algún lado venden lámparas o botellas para genios, no sé. Te ofrezco una disculpa, ya que con ese enfoque no puedo aportarte nada, aún no tengo la experiencia, pero si al igual que yo eres un humano-terrícola, la creatividad consistirá en mezclar los escombros de lo que destruiste y los elementos que exploraste, porque los resultados que tendrás al desarrollar esta habilidad serán casi divinos, es decir, humanos.

Mi maestra de álgebra resolvía ecuaciones como Dios, seguramente había practicado una eternidad, como los magos. Piensa en la cantidad de cosas que se pueden crear cuando combinamos elementos que aparentemente no tienen relación; por ejemplo, el resultado de combinar Vivaldi, un gran violinista, con batería y guitarra eléctrica es una buena pieza de rock sinfónico como las de David Garrett:

El resultado de combinar técnicas modernas de construcción con un palacio renacentista por el arquitecto oriental Ieoh Ming Pei, que estudió en Estados Unidos con maestros europeos, es el Museo de Louvre, una obra muy polémica en 1989 cuando fue construida, pero que hoy es un icono-clásico de la hibridación en la arquitectura.

Así pasa con esto de la innovación, ¿no? Hay combinaciones explosivas que al principio no todos somos capaces de apreciar:

El resultado de mezclar tamales con queso de cabra y camarones es una deliciosa comida fusión mexicana que te recuerda nuestras tradiciones al mismo tiempo que te invita a maridar con tu vino favorito.

Esto nos permite entender que la creatividad en la cocina se genera con chefs dispuestos a combinar lo que un cocinero tradicional consideraría un pecado, porque para ser creativo pecar ayuda mucho:

El resultado de mezclar historia, literatura y sexo son los libros de *Arrebatos carnales*, de Francisco Martín Moreno, que hacen que las *personas comunes y calientes* nos pongamos a leer sobre los héroes de nuestro país de una forma muy original, porque no es lo mismo leer una obra seria sobre don Porfirio que disfrutar imaginarte lo que hacía con Carmelita. Supongo que no soy el único obsesionado con esto, porque esta singular trilogía ha sido uno de los más importantes éxitos de ventas en México en los más recientes años:

Ahora imagínate a ti mismo desarrollando esa mente de laboratorio en tu propio proyecto:

2 [HIBRIDACIÓN]

¿Qué combinaciones explosivas
podrías hacer?

*Las ideas mestizas
están llenas de
fuerza y colores
inimaginables.*

LA PREGUNTA ◆ ¿Qué combinaciones explosivas podrías hacer?

VIDA ◆ Quisiera hacer un híbrido entre una alimentación sana y al mismo tiempo muy gourmet, porque siempre he tenido la idea de que comer sano no es muy rico.

NEGOCIOS ◆ En los eventos para nuestros clientes podría combinar una presentación con números con un performance.

PAREJA ◆ Nosotros tenemos muy divididos los días de descanso de los días de trabajo, podríamos ir de fiesta entre semana y resolver algunos pendientes de trabajo los fines de semana.

Registra tus hallazgos

Para experimentar permanentemente puedes hacer un muy buen ejercicio, llamado la tabla de mezclas, con el que estarás probando y registrando tus hallazgos.

Primero elige al azar siete cosas que te apasionen.

¿Cuáles son?

Por mi parte voy a elegir música, arquitectura, futbol, gastronomía, maratón, vino y novela.

Luego elige siete elementos importantes de tu proyecto en el que quieres innovar:

Mi proyecto será enriquecer mi vida sexual, por lo que voy a elegir siete elementos relacionados: preámbulo, pasión, sudor, aroma, orgasmo, caricia y coito.

Lo que sigue es hacer una tabla donde pueda visualizar posibles combinaciones y elegir con cuáles podría hacer mezclas atractivas y enriquecedoras, combinaciones que valdría la pena probar

Marcaré las que me parezcan interesantes:

ELEMENTOS A MEZCLAR	Música	Arqui	Fut	Maratón	Gastro-nomía	Vino	Novela
Preámbulo	▨			▨		▨	
Pasión							
Caricia	▨					▨	
Coito	▨						
Orgasmo						▨	
Sudor							
Aroma						▨	

Y luego elabobraré mi tablita, para descubrir qué pasa con las pruebas que me gustaría hacer; te pongo tres ejemplos:

	EXPERIMENTO	CÓMO SERÍA ESTA MEZCLA	PRUEBA (FECHA Y PERIODO)	NOTAS Y HALLAZGOS
	Maratón de preámbulo.	Un preámbulo maratónico, caricias toda la noche sin que haya más.	Noche del viernes.	Es delicioso, sólo que luego no me puedo dormir.
	Música con preámbulo, coito y orgasmo.	El experimento se tratará de hacer un play-list eligiendo rolas ad hoc para cada uno de estos momentos.	Noche del sábado.	El momento sigue el ritmo de la música y luego la música es un excelente recordador de momentos.
	Preámbulo, coito, orgasmo, aroma y vino.	Se me ocurre abrir una botella de vino, dejar que se oxigene y abra, e ir intercalando la cata lentamente, entre el preámbulo, el coito y el orgasmo.	Tarde del miércoles.	La combinación de aromas sexuales y enológicos es una de las cosas más hermosas de la vida.

Luego hay que ir a experimentar, escribir los hallazgos y seguir probando hasta encontrar el orgasmo prometido.

Con esta información, ya puedes aplicar la técnica de la tabla de mezclas que te permitirá ejercitar tu mente de laboratorio.

El resultado será muy diferente que si sólo piensas: "¿Qué combinaciones puedo hacer?", porque los elementos aleatorios aumentarán muchísimo las posibilidades de encontrar algo sorprendente.

Además puedes pedirles a otras personas que te digan las cosas que les apasionan e integrar esos elementos a tu mezcla.

Aquí te pongo un machote[3] para que hagas tu tabla:

Aquí está también el formato para que hagas el ejercicio:

Primero la *tabla de elementos a mezclar*:

---

[3] En México utilizamos la palabra *machote* para referirnos a un formato establecido al que sólo le personalizamos algunos datos.

Elementos aleatorios / Elementos de tu proyecto						

Y luego la *tabla de notas de tus hallazgos*:

EXPERIMENTO	CÓMO SERÍA ES- TA MEZCLA	PRUEBA (FECHA Y PERIODO	NOTAS Y HALLAZGOS

Ahora ya tienes claro que hay que invertirle tiempo para crear tu mente de laboratorio, y que para lograrlo hay que mezclar mucho, porque al hibridar se crean nuevas realidades. ¿Qué sigue ahora?

Pues liberar la creatividad, porque hay un genio en ti y muchos genios más en tu equipo que necesitan ser despertados.

Imagina una mente de laboratorio con un genio desatado, ¿hasta dónde crees que te pueda llevar?

GENIALIDAD DESATADA

Segunda característica de la posición mental del creativo

¡Aquí llega!, ¡aquí está!, te presento a la más famosa, multimencionada, hipersobada e impresionantemente choteada técnica de creatividad. Adivina, adivinador, ¿de qué estoy hablando?…

Exactamente, le atinaste, cuando se habla de creatividad lo primero que se dice es: "Necesitamos hacer una lluvia de ideas".

La famosa lluvia de ideas o *brain storming* sí llega a ser muy útil en la etapa de creatividad, pero no es la mejor opción para empezar a innovar, o sea, si nos ponemos a hacer una lluvia de ideas sin haber explorado y roto paradigmas, lo único que haremos es juntar los prejuicios de los integrantes del equipo para hacer un batido de "más de lo mismo", pero cuando ya exploraron y rompieron paradigmas es una técnica muy útil, siempre y cuando la sepan llevar.

Cuando haces una lluvia de ideas lo esencial es crear una atmósfera donde todo mundo quiera mojarse, bañarse del espíritu creativo y aportar, un ambiente donde lejos de anular o descalificar comentarios cada idea sea más lluvia, más agua para que el río de la creatividad se desborde.

Algo que he descubierto es que la lluvia de ideas no es un ejercicio en donde lo más importante sea acumular ideas brillantes; efectivamente, se encuentran grandes ideas, pero lo más, lo más trascendente es que una buena lluvia de ideas libera la genialidad, activa la inteligencia innovadora individual y colectiva. La lluvia de ideas es un ejercicio para soltar la mente, para quitar las amarras, para echar a andar el motor, y una vez que echas a andar el motor de la imaginación las ideas serán una consecuencia. Para ser creativo no hay que concentrarse en la idea, como si obtener la idea fuera la meta final, de lo que se trata es de provocar los momentos y los espacios para que la genialidad se libere, y una vez liberado el genio tuyo y el de tu equipo las genialidades los van a perseguir y descubrirán que son más creativos de lo que nunca imaginaron; por eso, para lograr la posición mental del creativo hemos dicho que se requiere tener una mente de laboratorio, o sea saber mezclar y hacer experimentos, pero para encontrar la inspiración y las ideas para hacer esas mezclas y experimentos necesitamos ejercicios con los que practiquemos constantemente la liberación, porque la posición mental del creativo es un espíritu libre, que asocia, que dice disparates, que se sale de la caja y que conecta lo inconectable, y para lograr ese espíritu la atmósfera es esencial.

En tu vida personal, ¿has sabido construir los espacios para que tu genialidad salga y haga de las suyas?, ¿el contexto en el que trabajas tiene los ingredientes para que la creatividad germine de forma natural?, porque si tienes que esforzarte aún no es el contexto adecuado. La genialidad necesita una cama con globos, quizás agua, tal vez flores, quizá luces, es muy difícil que uno se ponga en la posición del creativo en un motel aburrido con colores oscuros en el que una voz interior te esté gritando: "Debes de hacer el amor de manera perfecta".

Y bajo esta perspectiva, más que una técnica de pensamiento creativo, la lluvia de ideas y los ejercicios que te voy a plantear son caminos de liberación, rutas para que tú y tu equipo se quiten la polilla y dejen que el genio salga. Para que una lluvia de ideas sea más poderosa aplica esta secuencia con tu proyecto:

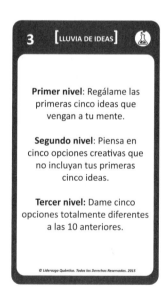

3 [LLUVIA DE IDEAS]

Primer nivel: Regálame las primeras cinco ideas que vengan a tu mente.

Segundo nivel: Piensa en cinco opciones creativas que no incluyan tus primeras cinco ideas.

Tercer nivel: Dame cinco opciones totalmente diferentes a las 10 anteriores.

A veces la primera lluvia de ideas es una porquería, pero si extendemos la precipitación lloverá genialidad.

LA PREGUNTA ◆	Primer nivel: regálame las primeras cinco ideas que vengan a tu mente. Segundo nivel: Piensa en cinco opciones creativas que no incluyan tus primeras cinco ideas. Tercer nivel: Dame cinco opciones totalmente diferentes a las 10 anteriores.
VIDA ◆	Primer nivel: estudiar una maestría, leer dos libros más al mes, etcétera... Segundo nivel: entrevistar al maestro de la materia, hacer una investigación con gente que ha sido exitosa en el tema, etcétera... Tercer nivel: hacer un viaje a la cuna de los especialistas en la materia, entrevistar a los detractores del tema, etcétera...
NEGOCIOS ◆	Primer nivel: echarle ganas, reunirnos los lunes, etcétera... Segundo nivel: capacitar al equipo, cambiar el sistema de compensaciones, etcétera... Tercer nivel: Cambiar la envoltura del producto, dar gratis una versión más sencilla, etcétera...
PAREJA ◆	Primer nivel: sacrificarnos más, ir a unas pláticas, etcétera... Segundo nivel: discutir en un lugar diferente, ir a un bar a negociar, etcétera... Tercer nivel: escribirnos una carta antes de hablar, poner música, ir a un show cómico antes de negociar, conseguirnos un amante, etcétera...

Si te fijas, la estructura de una *buena lluvia de ideas* es que sea en tres ciclos; en el primero saldrán las ideas que ahí estaban en el cerebro y que siempre se dicen. Se me figura que esta primera parte de una lluvia de ideas es como cuando abres una llave que ha permanecido cerrada mucho tiempo y que lo primero que sale es la suciedad acumulada, pero si sigues descargando en unos instantes llegará el agua limpia, de la misma forma el equipo comienza a hablar y hablar y hablar, porque se abrió la llave. Ya en el segundo y en el tercer ciclo de alguna manera sus mentes se verán "forzadas" a generar opciones diferentes.

Así como las culturas prehispánicas danzaban para provocar la lluvia, para generar una precipitación de genialidad colectiva:

- ✓ Prepara el terreno.
- ✓ Explícales a los participantes que no se trata de descartar nada sino de abrir la llave de las ideas.
- ✓ Trabaja previamente en tener claro el planteamiento acerca del problema o el proyecto sobre el que se hará la lluvia de ideas. Porque si nomás llegas y les dices: "Denme ideas para cambiar nuestro negocio o el mundo", pues de plano no sabrán ni por dónde comenzar. Lo ideal es que en cinco minutos les expliques de qué se trata, cuál es el proyecto o el problema, los antecedentes y la pregunta del millón,[4] y entonces sí, ¡adelante!, porque aunque una lluvia de ideas no es un proceso de innovación completo, sí es una técnica que libera la genialidad. ¡Pero no es la única!, por eso ahora quiero compartirte diferentes caminos y ejercicios para que sigas desatando al genio:

---

[4] Los detalles sobre la pregunta del millón están en el capítulo "El explorador".

EL GURÚ

Mi hermano es una persona con mucha introspección, siempre lo había visto y etiquetado como alguien muy tranquilo, algo serio, reflexivo y prudente, hasta que un día me regaló un boleto para que lo fuera a ver al teatro porque iba a ser protagonista de una comedia y… ¡ah, jijo!, en el papel resultó ser un desmadre bastante divertido, y mi pregunta era: ¿quién carajos es mi hermano?, ¿el que está actuando el papel de desmadroso o el que está jugando otro papel en su vida?; yo pienso que los dos, porque todas las personas jugamos o actuamos un papel en nuestra vida y llega el punto en que los demás nos etiquetan por ese rol que desempeñamos: el "director serio", la "chica moscamuerta", el "loco", pero justamente sólo son etiquetas, porque somos eso y mucho más. El problema es que cuando pretendemos ser creativos damos las ideas desde ese rol que jugamos en la vida y que ya nos lo creímos, y por lo mismo nuestras aportaciones se limitan a ese personaje que creemos ser. Un gran ejercicio para liberar al genio es jugar otro rol, actuarlo, decir ahora soy Marie Curie o Rita Levy o Tesla o Edison o quien sea, porque basta con que nos pongamos a jugar otro rol para que nos olvidemos de nuestra etiqueta y salga toda la genialidad que hay en nosotros pero que desconocemos, porque una persona muy seria que juega a ser Cantinflas o Charles Chaplin sigue siendo ella misma pero desde una parte de su ser que no siempre saca a la luz. Jugar a ser otro libera el potencial creativo, por eso son tan ricos los ejercicios en los que juego a ser el amante oculto de mi pareja, o soy Napoleón Bonaparte o María Antonieta, y en la cama me permito hacer lo que Jorge se reprime, ¿me cachas? Siendo honesto contigo, ¿cuál es tu fantasía?, ¿en quién te gustaría convertirte esta noche para conquistar a tu pareja?, ¿como quién te gustaría sugerirle a tu pareja que actuara?, porque te llevaría a otros niveles de experimentación en tu sexualidad.

Si te fijas, he estado utilizando las palabras *actuar* y *jugar* casi como si fueran sinónimos, porque de eso se trata, de jugar otro rol, de ser otra persona para liberar otras caras, y actuar desde otro papel con total soltura requiere que te permitas jugar el juego, no por nada en inglés *play* y en francés *jouer* se utilizan lo mismo para "jugar" que para "actuar", porque actuar es permitirnos jugar no a ser otros, sino a ser la parte desconocida de nosotros mismos:

La paradoja es que cuando te pones una máscara en realidad te estás quitando la máscara que habitualmente usas.

Un ejercicio que suelo hacer con equipos de innovación[5] es llevarles las historias de seis genios de la historia que podrían ser excelentes asesores del proyecto en el que están, entonces les entregamos las historias a seis personas diferentes y les damos un tiempo para que estudien al personaje, se disfracen y se conviertan en él, y una vez que ya están jugando el juego hacemos una reunión creativa en la que esos seis gurús nos dan ideas para el proyecto. Los resultados son geniales, pero también la experiencia de quienes se atreven a salirse de su rol.

---

[5] Ejercicio que inventó mi socio y amigo Fer Ramírez en un entrenamiento de innovación en la compañía Hershey's.

Ahora te toca a ti y a tu proyecto:

Nietzsche decía: "Toda mente profunda necesita una máscara".

LA PREGUNTA ◆	¿Quién sería un gurú para tu proyecto? Conviértete en él. ¿Qué te aconsejaría?
VIDA ◆	Mi gurú sería Murakami y me aconsejaría dejar de trabajar en lo que no me gusta y apostarle a mi talento.
NEGOCIOS ◆	Mi gurú sería Guardiola y me aconsejaría perfeccionar mi método.
PAREJA ◆	Mi gurú sería Mauricio Garcés y me aconsejaría despertar mi lado divertido y seductor.

EL LOCO

¿Cómo les han dicho a muchos innovadores cuando dieron a conocer sus creaciones o descubrimientos?

Obvio: locos.

También les han dicho "brujas", "idiotas", "quémenlos", "si el hombre pudiera volar, Dios le hubiera dado alas", y cosas así, que yo sintetizo diciendo que cuando alguien hace una propuesta que se sale de la realidad actual le decimos loco, y muchos años después le cambiamos el mote por el de genio. Entonces, otra forma de desatar al genio es permitirte ser ese loco que hay en ti, ese ocurrente, espontáneo, soñador, chiflado, que cada que sale a la luz se encuentra con un jefe, una mamá, un papá o alguien que le dice "estás loco". ¿De cuántas buenas ideas y experiencias te has perdido por hacerle caso a la bola de psiquiatras-amargados-represores-matacreativos que te rodean? En la posición mental del creativo es vital contar con nuestro loco interior en el equipo, ya sea para hacer locuras que nos permitan disfrutar más de la vida y del trabajo o para proponer mezclas, soluciones y experimentos que se salgan de lo normal.

Aplícalo en tu situación:

NEGOCIOS ◆

Lo más loco que podría hacer:
1) Regalar mi producto.
2) Cobrar sólo el mantenimiento.
3) Hacer un negocio de capacitar a mi competencia.

PAREJA ◆

Lo más loco que podría hacer:
1) Dejar que mi pareja administre nuestra economía seis meses (soltar el control).
2) Dejar que mi pareja me guíe en la relación sexual (soltar el control).
3) Pedirle a mi pareja que este año decida a dónde vamos de vacaciones (soltar el control).

LA SORPRESA

Hay veces que nos cuesta trabajo imaginar qué es loco, porque de pronto alguien que es muy extrovertido piensa que hacer más extravagancias es hacer algo loco, pero es hacer más de lo mismo, es continuar en el mismo surco cerebral; lo loco sería que un día fuera serio o formal. Lo mismo, alguien que siempre propone ideas divergentes se puede empezar a estancar, lo loco sería que nos propusiera algo muy sencillo y muy común; para que algo sea loco tiene que salirse de nuestra realidad, de la costumbre, del "pan con lo mismo". Si piensas en tu proyecto y las ideas que se te ocurren son muy predecibles, quizá lo que está sucediendo es que sigue hablando tu cordura.

Vuelve a pensar en tu proyecto y observa si la siguiente pregunta te puede ayudar a encontrar otro tipo de solución:

6 [SORPRESA]

¿Qué podrías hacer que nadie esperaría de ti?

Todo el mundo está esperando de ti el patrón con el que respondes habitualmente. Sorprender es dejar de ser predecible.

LA PREGUNTA ◆ ¿Qué podrías hacer que nadie esperaría de ti?

VIDA ◆ Lo que más sorprendería a mis amigos de mí es que me calle.

NEGOCIOS ◆ Lo que más desconcertaría a mi equipo de mí es que me calle.

PAREJA ◆ Lo que mi pareja nunca esperaría de mí es que me calle.

LA MÁQUINA DEL TIEMPO

Cuando tenemos un problema y se trata de una situación intensa que involucra emociones o en la que está en juego nuestra carrera profesional o un buen de dinero, lo que sucede es que el problema nos abruma, vemos las dificultades del proyecto más grandes de lo que son, maximizamos los obstáculos y borramos de nuestra mente muchísimas posibilidades para sortearlos.

Sin embargo, a veces, cuando ha pasado el tiempo, volteamos hacia atrás y decimos "no era para tanto", "con qué poco pinole me ahogué", "si hubiera tenido la experiencia que tengo hoy no hubiera sufrido ese proyecto".

Lo bonito… ¿cuál bonito?, lo maravilloso… ¿cuál maravilloso?, lo archirrequeterrecontrasuperhastalamadredechingón del cerebro humano es que es el único que cuenta con un simulador de futuro. O sea, no le podemos decir a nuestro amado perrito: "Por favor, imagina que han pasado cinco años y dimensiona que el hecho de que hoy no estén tus croquetas buenas no es grave, relájate", porque aunque el cerebro de nuestro perrito tiene extraordinarias cualidades, a nivel emocional, intuitivo y hasta de comunicación no cuenta con un simulador de futuro. Una característica única de los cerebros humanos es que podemos especular, plantear diferentes escenarios y transportarnos a un hipotético futuro.

Curiosamente, si tú haces el ejercicio mental de viajar a un futuro hipotético, ¿qué efectos crees que sucederán en ti?

Ya verás que te relajarás, te desbloquearás y liberarás genialidad porque podrás plantear el proyecto desde un "tú mismo" que ya logró sortear esa situación.

Piensa en tu proyecto, observa las cosas que en el presente te preocupan, los obstáculos que te parecen insorteables, y luego haz el ejercicio que te planteo:

7 [LA MÁQUINA DEL TIEMPO]

Ve al futuro.
Imagina que ya lo lograste…

¿Cómo lo hiciste?, ¿cuál fue la clave?

© *Liderazgo Quántico. Todos los Derechos Reservados. 2015*

Metidos en un problema nos sentimos pequeños, de lejos sabemos que somos más grandes.
—Salvador Ruvalcaba

LA PREGUNTA ◆	Ve el futuro. Imagina que ya lo lograste... ¿Cómo lo hiciste?, ¿cuál fue la clave?
VIDA ◆	Ahora desde el futuro veo que lo único que tenía que hacer era dejar de autocriticarme y concentrarme en el talento que sí tengo.
NEGOCIOS ◆	Ahora desde el futuro veo que la decisión más inteligente fue dejar de concentrar nuestros esfuerzos en un mercado que estaba muriendo. Fue una pequeña crisis hacer el cambio, pero si no lo hubiéramos hecho habríamos desaparecido, y aquí estamos.
PAREJA ◆	Ahora desde el futuro descubro que los problemas nunca se iban a acabar, primero la crisis de vivir juntos, luego la de los hijos y luego la del "nido vacío"; en pocas palabras, no me debí haber preocupado tanto, si de todas formas iba a ser inevitable que hubiera problemas. Lo importante fue aprender a mezclar el sexo con los problemas, que a fin de cuentas lo único que se lleva uno de esta vida es un buen acostón.

EL TERCER CEREBRO

Estaba en un entrenamiento de creatividad con un experto en *startups*[6] y me sorprendió mucho que una mañana arrancara el día preguntándole a todo el grupo que cuándo habíamos llorado de felicidad. Lo primero que pensó fue: ¿qué carajos tendrá esto que ver con innovación?, pero me olvidé un poco del tema y le platiqué al grupo de compañeros con el que me tocó trabajar que había dos momentos en que lloré de felicidad intensamente, el primero cuando nació mi hija, que es una emoción universal que no se puede describir. Curiosamente, los otros cuatro compañeros también habían llorado de felicidad cuando estuvieron en el parto de sus hijos, y eso que todos éramos de países diferentes; pero bueno, a fin de cuentas teníamos en común haber nacido en el mismo planeta. Después les compartí que el segundo momento en el que me es inevitable llorar de felicidad se da cuando corro los kilómetros 40, 41 y 42 de un maratón; les platiqué que es como si se me cruzaran unos cables en el cerebro y que me siento conectadísimo con la vida, y aunque mis piernas ya no responden, mi corazón vibra en el más alto nivel.

Luego el *coach* que estaba dando el entrenamiento nos explicó que para llorar de felicidad tienes que estar superconectado con la vida y no sólo con la mente racional, sino también con el tercer cerebro: el corazón.[7]

---

[6] Término que significa arrancar o emprender y hace referencia a ideas de negocio que apenas empiezan o están en construcción; es decir, son empresas emergentes apoyadas en la tecnología y la calidad con un alto nivel de proyección, a pesar de su corta trayectoria y falta de recursos o financiación.

[7] En el capítulo "*Disrupto*" te compartí que el segundo cerebro es el aparato digestivo. Pero el orden no importa, lo puse así por la secuencia de las posiciones de este libro. Lo importante es saber que los tres cerebros son "el cerebro", "el aparato digestivo" y "el corazón", así que "el orden de los cerebros no afecta la creatividad".

Nuestro *coach* también nos explicó que era muy difícil mantenerse en contacto con este tercer cerebro en un mundo tan cuadrado y racional como el que habitamos; nos dijo que para ser creativo era vital aprender a provocar intencionalmente momentos en los que pudieras alinearte con la vida y llorar de felicidad.

Yo descubrí que al recordar aquellas experiencias estaba casi tan feliz como en el momento que corrí o cuando nació mi hija, porque otra maravilla de nuestra mente es que cuando recuerdas vuelves a experimentar, pero sobre todo reflexioné que esto de llorar de felicidad es lo más parecido a tener un orgasmo con la vida, le coqueteas, exploras, te alineas, pierdes el control de ti y terminas explotando en lágrimas; también pensé que si quiero provocarme estos orgasmos con mayor regularidad será mucho más sostenible por el camino del maratón u otras alternativas como ver el amanecer, descubrir los aromas de un buen vino y de un mal vino, adentrarme en una novela, escuchar música, charlar con mis amigos, disfrutar el éxito de alguien más, como cuando mi mejor amigo dio su primera conferencia o cuando mi compañera de vida ganó un premio o corrió su primera carrera, o aprender cosas nuevas o hacer todo lo que me hace vibrar al máximo. Descarté el método de asistir a partos de mis propios hijos como camino para despertar mi genialidad, puesto que ni mi proyecto de vida ni mi economía me dan para tener varios hijos por año, no lo veo sostenible por el momento.

¿Dónde puedes encontrar los espacios y los momentos de extrema felicidad, de vida orgásmica?, ¿cómo puedes provocártelos más seguido para liberar al genio que hay en ti?

Piensa en tu experiencia, ¿qué momentos te han hecho llorar de felicidad?, ¿qué eventos te han hecho tener un orgasmo con la vida?

Date tiempo de aplicar esto a tu proyecto o situación en la que estás innovando:

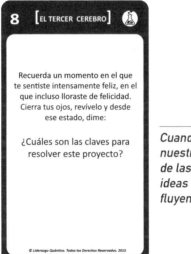

Recuerda un momento en el que te sentiste intensamente feliz, en el que incluso lloraste de felicidad. Cierra tus ojos, revívelo y desde ese estado, dime:

¿Cuáles son las claves para resolver este proyecto?

Cuando tocamos nuestro ser, más allá de las barreras, las ideas más fantásticas fluyen solas.

Si estás haciendo el proyecto en grupo, dense un tiempo de compartir los momentos en que lloraron de felicidad e inmediatamente después, sin soltar ese estado, respondan la pregunta.

LA PREGUNTA ◆	Recuerda un momento en el que te sentiste intensamente feliz, en el que incluso lloraste de felicidad. Cierra tus ojos y revívelo, y desde ese estado dime: ¿cuáles son las claves para resolver este proyecto?
VIDA ◆	Cuando recuerdo aquel día que cumplí ocho años y que hice un viaje sólo con mi papá, pienso que la clave de mi proyecto es invertir más tiempo en estar conectado con mi esencia, y lo puedo hacer dedicándole dos veces a la semana a las actividades que me conectan con mi propia niñez.
NEGOCIOS ◆	Cuando recuerdo la primera vez que surfeé pienso que la clave de este proyecto es perder el miedo, y para eso voy a trabajar con mi equipo.
PAREJA ◆	Cuando pienso en el día en que nos conocimos pienso que la clave en nuestra relación es discutir y hablar de los temas difíciles, sin dejar de hacer lo que hacíamos cuando nos conocimos: ¡viajar! No somos una pareja sedentaria.

No dejes que sea la casualidad quien libere tu genialidad, el chiste de esto es provocarte muchos orgasmos con la vida. Una persona con vida multiorgásmica tiene la creatividad a flor de piel.

¿Cuáles son las actividades que puedes hacer para mantenerte en un estado de éxtasis creativo?

EL HUEVÓN INTERIOR

Uno de los clichés de la vida cotidiana que más afecta la creatividad es esta idea de que para lograr las cosas el esfuerzo es indispensable, o sea que tienes que dar todo y vaciarte y luchar como faquir, una mezcla de Pepe *el Toro* y Rambo, para lograr tus proyectos.

Ahí tienes al papá que le dice a su hijo: "Ándele, mijo, esfuércese, si quiere lograr algo en la vida debe fregarse como su apá", o al jefe que piensa que sus mejores colaboradores son los que más temprano llegan y más tarde se van, aunque no estén aportando mayor cosa.

Desatar al genio es romper con este estereotipo, es liberar a ese huevón interior que habita en cada uno de nosotros, hasta en el más workahólico, créeme.

Si te fijas, muchos inventos y descubrimientos fueron generados por alguien que se preguntó cómo podría esforzarse menos o "evitar la fatiga", como diría Jaimito el cartero. Así como el agua busca el camino más fácil para llegar a su destino, el innovador idea cómo llegar sin tener que luchar demasiado.

¿Y a quién sino a un huevón y puberto de 16 años se le pudo ocurrir inventar la escalera eléctrica?[8]

Antes de 1596 hacer popó implicaba ponerse en cuclillas para que mientras el individuo hacía fuerza con las piernas soltara el control de los esfínteres y zurrara de manera saludable. ¿A quién, sino a un huevón como sir John Harrington, se le hubiera ocurrido crear un artefacto para evitar la fatiga de esforzarse y que

---

[8] Jesse Wilford Ren es el inventor de la escalera eléctrica.

ahora todos nos podamos sentar a leer con singular alegría mientras el aparato digestivo hace su trabajo y descarga?

Dicen las malas lenguas que un empleado de una fábrica donde se embotellaban refrescos tenía que revisar que en la línea de producción no hubiera botellas vacías, porque por un defecto de la máquina un porcentaje de las botellas estaba saliendo sin líquido. Pasaron semanas sin que un solo refresco vacío fuera identificado, y el gerente de la planta fue a felicitar a su colaborador por su concentración y disciplina para que no se colara ninguna botella con defecto en la distribución, pero cuál fue su sorpresa que el colaborador estaba de huevón leyendo la sección de deportes del periódico, y le preguntaron: "Oye, pero ¿cómo le haces para identificar todos los refrescos vacíos si estás acá haciendo otra cosa?", y él les dijo: "Fue muy fácil, puse un ventilador al lado de la línea de producción, y entonces cada que pasa un refresco sin líquido el ventilador lo tumba, así puedo utilizar mi tiempo en leer el periódico en vez de estar haciendo el trabajo de un ventilador".

Cuando hablo del huevón interior me refiero al ingenio que podemos tener si nos permitimos buscar opciones para esforzarnos menos o para gastar menos dinero o energía. Todas las personalidades que habitan en tu mente tienen una misión, incluyendo a tu huevón interior que siempre está enfocado en *lograr más haciendo menos*. Si te esfuerzas demasiado en tu proyecto y no ves resultados, no te enorgullezcas diciendo: "¡Vean cómo trabajo a lo pendejo!", tal vez te debería de dar un poco de vergüenza, mejor libera a tu huevón interior.

Paradójicamente, una persona que físicamente es muy activa y que hace y hace, y trabaja y trabaja, pero no invierte tiempo en pensar, mentalmente es huevona, pero no es el huevón al que me refiero en este ejercicio, nuestro huevón es aquel que utiliza su mente para hacer menos esfuerzo físico, gastar menos tiempo, dinero y energía y lograr más.

Piensa en tu proyecto, ¿cuántos deseos tienes de no trabajar y luchar en vano?:

9 [EL HUEVÓN INTERIOR]

Regálame tres opciones para lograr más esforzándote menos.

Esforzarte menos = Invertir menos o gastar menos energía.

© Liderazgo Quántico. Todos los Derechos Reservados. 2015

Hay gente que con toda su voluntad no llega a nada, sin darse cuenta de que con un poco de ingenio podrían mover al mundo.

LA PREGUNTA ◆	Regálame tres opciones para lograr más esforzándote menos.
VIDA ◆	1) Compartir vehículo con un amigo para ir al trabajo y gastar la mitad de la gasolina. 2) Platicar una vez a la semana con alguien que ya ha tenido éxito en esto, para ahorrarme experiencias. 3) Si hago grupo para realizar el viaje podría resultar más económico y menos pesado que si me voy solo.
NEGOCIOS ◆	1) Buscar un incentivo para que nuestros clientes sean nuestros propios vendedores. 2) Grabar las entrevistas (hay tres: Dragon Dictation [es la más chida], Evernote para Android, Voice Assistant) con la aplicación que te las captura al mismo tiempo me ahorraría horas de esfuerzo de estar escribiendo lo que ya escuché. 3) Invitar vía Skype a los involucrados para no explicar lo mismo tres veces.
PAREJA ◆	1) Creo que si buscamos una escuela para los niños cerca de la casa invertiríamos menos energía en dejarlos y traerlos y podríamos utilizar ese ahorro en un 20% más de sexo en la noche. 2) Si cada uno tiene un día libre a la semana nos evitaremos muchas peleas de "a dónde vamos". 3) Si no vamos de shopping podríamos tener menos presión por ganar dinero y quizá diríamos menos idioteces cuando nos peleáramos.

A veces te pones a pensar cómo encontrar respuestas a través de tu huevón interior, pero no te salen porque quizás has tenido el grave problema de ser demasiado trabajador toda tu vida, pero no te preocupes, lo primero es reconocerlo, si aceptas que has sido un workahólico empedernido, ya comenzó tu curación.

Sólo haz estos decretos:

✓ *Trabajar es algo horrible, a partir de hoy me divertiré más… Ya no trabajaré, haré lo que me apasiona.*

✓ *Sé que he abusado del trabajo como una distracción para no enfrentarme a otras realidades de mi vida, pero acepto vivirlas a partir de hoy.*

✓ *Cuando despotrico contra la gente huevona, en realidad se está proyectando una envidia profunda de la que no era consciente.*

✓ *Reconozco que el ocio es la madre de muchas grandes ideas en la historia de la humanidad.*

✓ *A partir de este momento le abro las puertas de mi corazón a la hueva y el ocio, dejando que regresen del exilio en el que las tenía.*

Una vez que ya estás dispuesto a pensar en "hacer (+) con (–)", una de las técnicas más poderosas para liberar al genio es "el efecto carambola";[9] he visto en muchos equipos lo revolucionaria que resulta.

Muchas personas y empresas desperdician su energía en batallas que no es necesario pelear; la clave para no hacer este derroche innecesario es pensar: ¿en qué parte del sistema aplico fuerza para crear una explosión de efectos?

Imagínate que tu proyecto es una mesa de billar, que tú eres el jugador y que lo más importante es que pienses bien a qué bola le quieres pegar, en qué ángulo y con qué fuerza. Algunas veces el jugador de billar le pega muy despacito a la bola, otras con más fuerza, porque lo más importante es usar la imaginación para hacer la jugada que más impactos nos dará. A mí me gusta pedirles a los equipos de innovación que dibujen su hipótesis, que planteen cuál es la carambola con la que piensan revolucionar su mundo.

---

[9] El efecto carambola es una técnica que funciona mejor con la herramienta Exploración LQ que forma parte del set de herramientas de la inteligencia innovadora. Aquí en el *Kamasutra de la innovación* te compartiré las bases para que la apliques.

Las bolas de billar representan los elementos de tu proyecto; por ejemplo la gente, el producto, la presentación, el registro de la patente, las redes sociales, etcétera. Lo que haces como creativo es pensar: ¿en dónde aplico fuerza?, quizá si la aplico en subir a la gente al barco, en automático se correrá la voz y el agua tomará su cauce, pero tal vez no, quizá sea mejor concentrarme en la presentación del producto porque de ahí se enamorarán los clientes o tal vez ninguno de estos elementos sea el importante.

Lo que hace el creativo en el efecto carambola es observar hasta encontrar cuál es la bola que desatará el cambio.

En el entrenamiento que doy junto con mi equipo para formar *coaches* que impulsen la innovación un día un alumno me dijo que la bola que hay que encontrar es el punto G, porque es el elemento del sistema que al aplicarle un pequeño estímulo genera una explosión de sensaciones que revolucionan el sistema.

¿Cuál es en este momento el punto G de tu vida?

Aplica este conocimiento en tu proyecto:

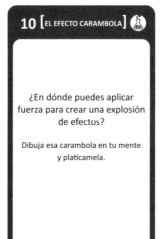

La diferencia entre una mente lineal y una exponencial está en el dibujo.

LA PREGUNTA ◆	¿En dónde puedes aplicar fuerza para crear una explosión de efectos?
VIDA ◆	Si me concentro en darme tiempo para la música me sentiré más feliz, estaré mejor con mi pareja y más cómodo en el trabajo. Seguir tocando música es la forma de apalancar mi felicidad.
NEGOCIOS ◆	Estamos demasiado ocupados apagando fuegos, la forma en que podemos generar el efecto carambola es invertir una tarde a la semana para innovar nuestro servicio, porque vamos a impactar el ambiente y encontraremos nuevas formas para no seguir matándonos para conseguir nada.
PAREJA ◆	Estoy seguro de que si vamos a terapia de pareja crearemos muchos más impactos que en nuestras discusiones interminables.

Así como hemos platicado que actuar un rol diferente, hacerle al loco, conectarte con tus emociones o pensar desde el huevón interior desata tu genialidad, existe otro aspecto también muy poderoso que desbloquea tu mente y te pone en otra dimensión, me refiero al pensamiento visual. Dibujar prototipos, bocetar modelos y en general plantear soluciones en un par de rayones le permiten a tu cerebro multiplicar posibilidades, porque la mente de la mayoría de los humanos fue educada en una escuela donde aprendió a pensar lineal, donde a ese niño creativo se le pidió que metiera su cerebro en un cuaderno de rayas o en un documento de Word. A mí me sorprende mucho cuando escucho a personas que me dicen: "No, Jorge, a mí no me hagas dibujar, yo no soy bueno para eso ni nunca lo he sido", entonces les tengo que explicar que no se trata de hacer dibujos bonitos, sino de plasmar en un par de rayones la idea que traigo para poner a mi mente en un contexto más libre, donde no me tengo que limitar a lo que se puede expresar en un texto tradicional. Si dibujo bonito o feo, vale madre, porque aquí estamos trabajando en liberar nuestra genialidad, no en ser dibujantes, porque una cosa es la técnica de dibujo y otra muy diferente activar tu mente visual para plantear ideas que pueden convertirse en soluciones que valgan millones y que eventualmente alguien las pasará en limpio o mejorará su calidad gráfica.

Ya sea que dibujes en un cuaderno de hojas blancas tradicional, en un pizarrón, en una pared, en una aplicación para hacer bocetos, o que uses plastilina u otras herramientas para plasmar tus ideas visualmente, lo importante es que te sueltes.

Las más grandes obras de arquitectura partieron de un boceto, de un concepto expresado en tres rayas en un papel, ya luego otros arquitectos enfocados más en lo técnico, o ingenieros, colaboraron para hacer los planos de ejecución. Me encanta ver cómo los bocetos de grandes genios se han convertido en auténticos objetos de colección, y si no que le pregunten a Bill Gates, que pagó 23.6 millones de euros por algunos de los rayones de Leonardo da Vinci.

Ahora te pido que hagas este ejercicio clave para desatar tu genialidad, la idea es que sueltes tu mano pero sobre todo tu mente:

11 [MODELO DE SOLUCIÓN]

Dibuja un prototipo de solución
para tu situación.

Tres figuras bien organizadas dicen más que un documento de Word de un millón de caracteres.

© Liderazgo Quántico. Todos los Derechos Reservados. 2015

Mira, por ejemplo, éste podría ser un prototipo de una solución comercial:

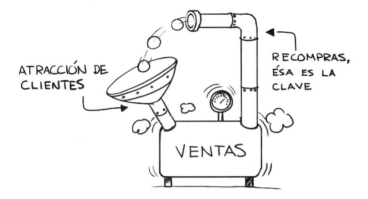

El pensamiento visual no se reduce a hacer dibujos o bocetos. Cuando piensas en palabras y en textos y ya te bloqueaste, hay que pasar al mundo de las imágenes, y otra forma de hacerlo es a través de analogías; mi jefe dice: "No hay definiciones. Hay metáforas", porque el universo paralelo de las imágenes es más amplio y totalmente divergente:

12 [SOLUCIÓN EN METÁFORA]

Plantea una metáfora en la que resuelves la situación o logras tu proyecto de forma innovadora.

Einstein decía:
"La lógica te llevará del punto A al punto B, la imaginación te llevará a todas partes.

LA PREGUNTA ◆	Plantea una metáfora en la que resuelves la situación o logres tu proyecto de forma innovadora.
VIDA ◆	Lo que haré es invertirle a regar la planta, que los frutos crecerán solos.
NEGOCIOS ◆	Estamos actuando como un país comunista, pusimos la frontera de hierro y no queremos que la competencia sepa nuestro know how, pero, ¿qué pasaría si tumbamos nuestro muro de Berlín?, ¿qué sucedería si compartimos nuestras prácticas con otros países y en vez de pelearnos con la competencia hacemos más fuerte la industria?
PAREJA ◆	Somos dos leones en una pequeña jaula, quizá necesitamos más espacio.

He comentado que la innovación es un deporte colectivo, una hermosa orgía de cerebros para revolucionar mundos, y esto es más cierto en la creatividad que en cualquier otra de las posiciones, porque cuando dos cerebros o más se juntan a rebotar una idea los resultados son increíbles, por decirlo de alguna forma. Si practicas estos nueve ejercicios: el gurú, el loco, la sorpresa, la máquina del tiempo, el tercer cerebro, el huevón interior, el efecto carambola, el boceto y la metáfora con más personas, la genialidad crecerá exponencialmente. Ya sea que te vayas a un bar con tus cuates, a un café con un amigo, que habilites en tu empresa un espacio para la conversación creativa, lo que experimentarás te llenará de energía y de ganas de seguir aportando ¿A poco nunca has ido a platicar con algunos amigos sobre una idea y saliste inspirado? Claro, a veces también puedes ir a charlar con los cuates y salir deprimido porque apagaron tu idea, pero hoy que conoces ya una gran parte del *Kamasutra de la innovación* sabes que existen personas con las que hay que ir a platicar cuando estás explorando, porque son personas que tienen mucha información que compartirte. También sabes que hay personas con las que te conviene ir cuando estás en la posición de *disrupto,* porque son amigos muy agudos, capaces de despedazar cualquier idea; el problema no es cómo sean ellos, sino en qué momento les planteas las cosas. Cuando estés ejercitando la posición mental del creativo, haz favor de no ir con tus amigos *disruptos* que te aplican un terrible *bullyng* innovador; cuando estés en la posición de creativo desarrollando tu mente de laboratorio, ve con tus amigos chiflados, divergentes y soñadores, que te ayudarán a que tu idea rebote y se enriquezca. Si ya sabes que Juan es un *disrupto* mordaz, ¿para qué lo invitas cuando quieres alguien que le eche agua al río?

Si ya sabes que Pedro es un soñador perdido, ¿para qué lo invitas a criticar tu proyecto si sólo te va a echar porras?

Ser innovador no sólo es desarrollar tu mente curiosa, marciana, desafiante, irreverente o de laboratorio; ser innovador es integrar a las mentes derechas y torcidas que te rodean para crear un solo cerebro.

Piensa en la idea que traes para resolver tu proyecto, es momento de llevarla a crecer:

13 [TERTULIA]

Rebota tu idea con tres personas diferentes, y como una bola de nieve, deja que vaya creciendo sola.

© Liderazgo Quántico. Todos los Derechos Reservados. 2015

Suele decirse que es menester que los hombres tengan ideas; yo sin negar esto, diría más bien: es menester que las ideas tengan hombres.
—Miguel de Unamuno

LA PREGUNTA ◆	Rebota tu idea con tres personas diferentes, y como una bola de nieve, deja que vaya creciendo sola.
VIDA ◆	Rodrigo: Traigo la idea de irme de viaje por todo el continente. Rosi: Suena interesante, ¿has leído el libro del cuate que viaja hasta Alaska de mochilazo? Rodrigo: No, pero platícame, es bueno saber que no soy el único loco.
NEGOCIOS ◆	Juan: ¿Cómo ves que estoy pensando en cambiar el esquema con el que trabaja mi equipo? Ale: Pues mira, en mi empresa nos asignan un día a la semana para hacer *home office*. Juan: Sería interesante, pero siento que en mi empresa estamos demasiado habituados al látigo, no sé si funcionaría. Ale: Quizá tengas que hacer una pequeña prueba. Juan: Quizá.
PAREJA ◆	Ray: Estoy viendo con mi esposa cómo le hacemos para tener una relación más divertida, siento que estamos encajonados en trabajo-hijos, ¿me entiendes? José: Sí, como que hay que encontrar la forma de que la diversión sea igual de importante que la educación, ¿no?, eso de vivir tan en serio hace que la vida tenga menos sentido.

EN SÍNTESIS

✓ La tercera posición mental del *Kamasutra de la innovación* es la *creatividad*.

✓ La posición creativa se desarrolla ejercitando una mente de laboratorio y desatando a tu genio.

✓ *Mente de laboratorio*: Hay que asignar tiempo y recursos para mezclar sistemáticamente lo impensable, al estilo Edison, fracasar y fracasar hasta encontrar la luz.

✓ Y para que tu imaginación se libere al máximo hay que provocar precipitaciones de ideas y practicar nueve formas de desatar la genialidad: el gurú, el loco, la sorpresa, la máquina del tiempo, el tercer cerebro, el huevón interior, el efecto carambola, el boceto, la metáfora y… ¡lotería!

El aditivo que hace que la creatividad sea más que pólvora una explosión nuclear, es la colectividad. Por eso es muy importante integrar a más personas; si logras hacer una sinergia entre varias mentes diferentes crearás un solo cerebro colectivo: la inteligencia innovadora.

Retrato del creativo

Del 0 al 10, ¿qué tanto te identificas con las luces y sombras de un creativo?

___ Soy una persona divertida, me gusta estar constantemente probando y experimentando cosas diferentes, tanto en mi vida personal como profesional.

___ Siempre tengo opciones para todo. Cuando los demás ya se rindieron yo sigo generando otras formas de hacerlo.

___ Después de tomar una decisión mi mente no para, sigo pensando de qué otras formas le podría hacer, por eso me tardo en decidir, y cuando decido cambio después mis decisiones.

___ Tengo mucha imaginación y me encanta dialogar sobre soluciones, propuestas y proyectos que a algunos les suenan descabellados.

___ *¿Qué me mueve?* Para mí, crear cosas nuevas es más importante que tener éxito.

___ *¿Mi atrevimiento?* Proponer lo que otros creen absurdo.

___ *¿Mis miedos?* La monotonía, el aburrimiento y la rutina.

___ *¿Qué le aporto a mi equipo?* Trabajar conmigo es divertido, ofrezco alegría, ideas frescas y alternativas divergentes.

___ *¿En qué afecto a mi equipo?* Puedo llegar a ser un soñador exageradamente infantil.

No se me da eso de aterrizar, poner números y pasos a las cosas.

A veces genero tantas alternativas que me pierdo y divago.

___ *En el sexo como en la innovación:* me excita divertirme, probar, hacer cosas sorprendentes y combinar elementos; por ejemplo sexo: con gastronomía, música, baile o lo que tenga a la mano.

Suma tus resultados y divídelos entre 10: _____

RECOMENDACIONES

SI TE IDENTIFICAS COMO CREATIVO (+ de 7 puntos):

—*Aprovecha tu talento:* Tú inyectas alegría, posibilidades y alternativas en los grupos con los que trabajas.

—*Inteligencia colectiva:* Busca socios, aliados y compañeros que te ayuden a dar estructura y continuidad a ideas y proyectos.

(Tu imaginación) × (aterrizaje y estructura) = (resultados sorprendentes).

—*Trabájale:* Hay momentos es que ya no se trata de idear sino de implementar, tu reto es cambiarte de posición y hacer que las cosas sucedan. Trabaja en llevar una agenda, hacer cronogramas y dar seguimientos, vas a crecer mucho.

—*En el sexo:* Como eres muy creativo puedes estirarte aprendiendo a disfrutar un poco de sexo rutinario, con agenda y horarios exactos, como lo hacen las parejas que están siguiendo un tratamiento porque tienen problemas para embarazarse y deben tener relaciones sexuales dos días antes de que se dé la ovulación.

SI NO TE IDENTIFICAS CON EL CREATIVO (– de 7 puntos)

—*Trabájale:* La posición de creativo se ejercita probando, combinando y atreviéndote a hacer cosas diferentes a las habituales.

—*Deshazte de las siguientes ideas:*
 a) No hay nada nuevo bajo el sol.
 b) El esfuerzo es el camino más importante para lograr cosas.
 c) No soy creativo, ni dibujante ni loco.

—*En el sexo:* Combina y prueba, mezcla cuestiones olfativas, musicales, posturales, literatura, cine y todo lo que se te ocurra para que no sólo tengas mente sino también cama de laboratorio.

—*Inteligencia colectiva:* Busca socios, aliados y compañeros creativos y conversa mucho con ellos; aprende a divertirte en espacios donde de lo que se trate sea de rebotar ideas sorprendentes. Tu reto es entrar en el ambiente ligero, efervescente y divertido de la creación.

Si persisten las molestias consulta a tu *coach* de cabecera.

EMPRENDEDOR

◆

Llevar nuestras ideas al mundo real

Hasta ahora, las tres posiciones mentales que has vivido son: el explorador, el *disrupto* y el creativo; curiosamente las tres son divergentes. Cuando me refiero a que son divergentes estoy hablando de que lejos de llevarnos a una solución única, por un solo camino o de converger hacia un punto concreto, más bien nos abren posibilidades, nos permiten crear otras opciones y ampliar y ampliar y ampliar y ampliar y ampliar; velo así:

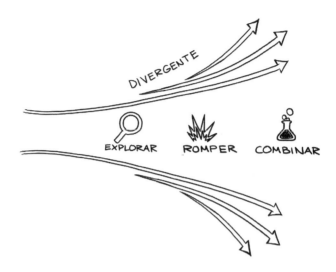

Si continuáramos siempre explorando, rompiendo e imaginando combinaciones *ad infinitum*, podríamos llegar a ser, en el mejor de los casos, filósofos, y en el peor, creativos estériles, porque estaríamos volando por las nubes hasta olvidar que existe la tierra.

¿Te ha tocado conocer personas que opinan, plantean buenas ideas y divagan, pero que no aterrizan nada?, o ¿no has visto chavos que tienen muchos sueños pero que no se deciden por ninguno?

La cuarta posición es muy importante porque es la que te permite capitalizar lo que hiciste en las otras tres. Si exploras, rompes y mezclas, pero no emprendes, vas a tener muchos orgasmos, pero no concretarás ningún "hijo".

Y cuando digo "hijo" me refiero al resultado; ¿de qué sirvieron tantas ideas si ninguna fecundó al óvulo? Sé que alguien aquí podría decirme que soy un retrógrada, que el sexo no se trata sólo de procrear, y yo le daría la razón, pero en el mundo de la innovación las cosas son diferentes, hay que divertirnos mucho, pero si no nace un crío no le podemos llamar innovación; para que algo se considere innovación tiene que haber creado valor;

puede ser un valor económico porque nos generó utilidades o un valor humano porque nos generó una mejor calidad de vida o un valor social porque propició bienestar en una comunidad.

Veamos entonces en qué consiste el emprendedor, la cuarta posición mental con la que culmina y se materializa nuestro proceso de innovar.

MENTE EN ACCIÓN

Primera característica de la posición mental del emprendedor
El emprendedor toma decisiones, genera estrategias, da seguimiento y vende proyectos para que las ideas locochonas se conviertan en realidades muy prósperas.

El emprendedor es la posición convergente del *Kamasutra de la innovación*.

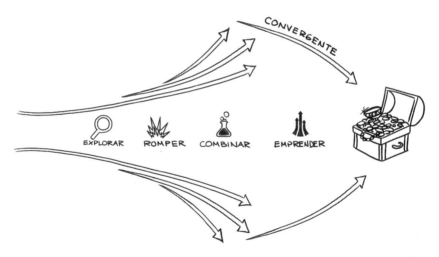

Las posiciones mentales del explorador, el *disrupto* y el creativo son muy muy muy mentales, y la posición mental del emprendedor es mental y también muy física; quiero decir que más enfocada en actuar y hacer, por eso fíjate qué curioso que algunas actitudes que son virtud en las tres anteriores posiciones se conviertan en defecto en esta última.

Para que alguien entre en posición de explorador le dices: "No te aceleres", "investiga más", pero para que cambie a la posición de emprendedor le espetas: "Deja de hacerte pendejo; ya no busques, ¡actúa!"

¿Te fijas?, lo que es muy adecuado en una posición es un problema en otra.

A un *disrupto* le dices: "¿Qué cosas están mal planteadas?", pero para cambiarlo a emprendedor le comentas: "Ya deja de estar buscando el lado negativo de las cosas, cabrón; ponte a hacer algo: ¡actúa!"

Al creativo le dices: "¿Qué combinaciones locas y descabelladas puedes hacer?", mientras que al emprendedor le señalas: "¡Ya se acabó el tiempo de andar trepado en tu nube, ¡actúa, jijo de la jijurria!"

El emprendedor concreta lo que se ha creado en la mente; el problema se da cuando alguien no se sabe salir de la posición de emprendedor, porque sus proyectos son precipitados, predecibles, ya que carecen de imaginación y divergencia.

El emprendedor es la fecundación, es la consecuencia de haber generado ideas sin preservativos mentales; lo negativo sería un emprendedor tan extremo que no quiere explorar, sería como un amante que se quiere brincar las deliciosas caricias preliminares, que quiere que hiervas sin calentarte.

El emprendedor es tan bueno o malo como el *timing* que tengas para adoptar esta posición.

Para una mente rígida es difícil entender que una cosa buena en un lado puede ser mala en otro, porque las mentes rígidas son blanco o negro, o eres el malo de la película que se va a ir al infierno o una mosca muerta llena de bondad, pero la mente flexible de un practicante de este *Kamasutra* sabe lo rico que se siente cambiar de posición y lo delicioso que es enfocarte de modo distinto, según sea necesario.

En el caso del emprendedor, su primera característica es la acción, o sea, la fuerza, el entusiasmo para hacer las cosas.

La mente en acción, la primera característica del emprendedor, es adoptar el espíritu de un gladiador, un luchador o un soldado de la innovación.

Pero no sólo eso. El emprendedor es más que una mente en acción porque también toma decisiones, clarifica el camino y lidera el proyecto.

El emprendedor es soldado y también general.

MENTE DE ESTRATEGA

Segunda característica de la posición mental del emprendedor

Por supuesto que un emprendedor está enfocado en la acción, en aterrizar sus ideas, en conquistar lo que se ha propuesto, pero eso no quiere decir que actúe a lo menso, que gaste su energía vital en hacer por hacer sin llegar a ningún lado.

La posición del emprendedor implica una mente de estratega; es decir, una mente que tenga muy claras las ideas, que sepa dónde está, qué quiere, para qué lo quiere y cómo lo va a lograr.

Para tener esta determinación lo primero es estar muy claro, pero imagínate, vienes de haber generado chorromilquinientas ideas, quieres hacer todo al mismo tiempo y lo primero que necesitas es decidir "qué sí hacer", y lo más difícil de todo, "qué no hacer". Si trabajaste con tu equipo una lluvia de ideas o utilizaste varias técnicas para despertar al genio, resulta ser que 99% de los espermas no serán los fecundadores del óvulo, la mayoría de las ideas sólo fueron parte de la fuerza que necesitaba el gran esperma para recorrer todo el aparato reproductor hasta llegar a su destino.

Para seguir avanzando necesitas elegir cuál es la idea ganona, de lo contrario, ¿te imaginas la cantidad de energía que se pierde por tener la cabeza confundida?

Para que no te suceda, mejor comienza por plasmar todas las ideas que surgieron cuando estabas en la posición de creativo:

Teniendo tantas ideas, la mente está divergente, es difícil descartar y decidir, pero es muy necesario, porque si dudas, generalmente fallas. Cuando estás en la posición de *disrupto* dudar es fantástico, pero en el momento de emprender te la crees y te la juegas con algo, ¿no? Valdano dice que los grandes directores técnicos de futbol en la historia han tenido pocas cosas en común, pero una de ellas ha sido esa capacidad para creérsela y jugársela con una idea que tenían muy clara pero, ¿cómo empezar a aclarar la mente, después de que la hemos metido en un océano de posibilidades?, ¿cómo empezar a convertir un chorronal de ideas en una estrategia?

Hay que ir tomando decisiones, ¿no crees?

Bueno, pues regresa a las 20 o 50 o 100 ideas que acabas de escribir y ahora fíltralas, para que vayas decidiendo.

Mira, a mí me ha servido mucho esta estructura:

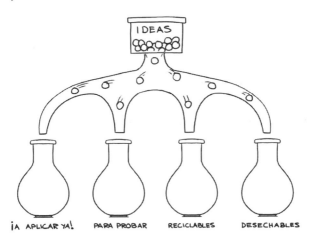

¡A APLICAR YA! PARA PROBAR RECICLABLES DESECHABLES

IDEAS A APLICAR YA	IDEAS PARA PROBAR	IDEAS RECICLABLES	OCURRENCIAS A DESECHAR
Son las ideas que quieres aplicar inmediatamente, has visto su valor y les apuestas.	Son ideas que te parecen muy interesantes y te gustaría pilotear, ya que tienen un alto nivel de riesgo.	Son ideas que suenan muy interesantes pero aplican en otras situaciones o que preferirías probar en otros momentos.	Son ocurrencias que colaboraron con el proceso creativo, pero ya cumplieron su función y es momento de desecharlas.

Con los equipos que me ha tocado acompañar a innovar, al principio muchas personas se sienten decepcionadas porque fueron a una reunión creativa o de lluvia de ideas y lo que aportaron no fue seleccionado, no se implementó, pero entonces yo les explico que la cultura de la innovación no tiene que ver con un tema del ego, de que si mi idea fue la que se aplicó o la de otro compañero, porque una idea le suma a la otra y al final, al dar tu idea, creaste la inercia para que alguien más aportara otra cosa y sucediera una cadena de asociaciones y soluciones brillantes.

Entonces, un equipo debe estar tranquilo porque nada es desperdicio, ninguna idea fue inútil, todas fueron parte de ese contingente de 250 millones de espermas que acompañaron a la gran idea que fecundaría el negocio.

Todo el colectivo es parte del logro.

Por eso, para lograr la claridad hay que decidir, y a veces lo más difícil no es elegir qué vas a hacer, sino descartar las ideas con las que te habías encariñado. Para que un emprendedor desarrolle su mente de estratega necesita mucho desapego para poder hacer algo que la mente estratégica hace todo el tiempo: ¡decidir!

Es momento de comenzar a emprender en tu proyecto y éste es un paso fundamental a la "convergencia":

1 [EMPRENDEDOR]

¿Qué decides hacer
y cómo lo vas a impulsar?

Un bruto actúa y actúa haciendo las mismas burradas. Un creativo tiene ideas geniales que se quedan en las nubes. Un innovador es la combinación exacta de bruto con creativo.

LA PREGUNTA ◆	¿Qué decides hacer y cómo lo vas a impulsar?
VIDA ◆	Decido apostarle a mi salud y bienestar, y lo voy a convertir en una prioridad en mi vida.
NEGOCIOS ◆	Decido apostarle a la innovación, y le daré impulso creando tres equipos que se dediquen a innovar en los temas fundamentales de mi empresa.
PAREJA ◆	Decido realmente intentarlo. Y le daré impulso invirtiendo tiempo para platicar con mi pareja cuando menos dos veces por semana.

El concepto

Además de decidir, para desarrollar una mente de estratega hay que tener muy claro el concepto, o sea la idea rectora que está detrás de lo que decidiste. Es decir, si Pep Guardiola decidió atacar y generar un futbol de posesión de balón, ése es su concepto, y todas las acciones que él y su equipo hagan deberán seguir esa idea rectora. Si José Mourinho decide jugar a ponerle una trampa al rival, defender, desgastar al rival y "matarlo" en un contragolpe, bueno, pues también debe comunicar su idea y todos jugar a lo mismo. El secreto del éxito de un estratega en gran medida tiene que ver con que lo tiene claro, tan claro que lo puede comunicar y compartir en unos segundos. Otros técnicos pueden tener el concepto de jugar según lo que el rival plantea y algunos el de ser muy verticales (ofensivos), no importa cuál sea el concepto sino el convencimiento y la claridad del estratega.

La clave para fracasar es desconocer a qué estás jugando.

¿Cuál es el concepto de tu vida?

> ¿Vivir creando?
> ¿Tener éxito?
> ¿Un modelo de placer y hedonismo?
> ¿Entregarte a la espiritualidad?
> ¿Buscar el equilibrio?
> ¿Trascender dando a los demás?

Éstos son algunos ejemplos, lo que te quiero decir es que tener un concepto claro literalmente le da sentido a todo lo que haces.

Plantea tu concepto de vida:

Resulta entonces que para tener una vida con sentido el concepto va por delante de las acciones; ¿sucederá lo mismo en el mundo empresarial?, ¿qué pasa cuando un director no tiene claro su concepto?

Pues en su equipo unos juegan a atacar y otros a defender; en resumen, la cosa es un desmadre.

Mira unos ejemplos de conceptos:

Nuestro concepto es vender por precio, somos los baratos.

Nuestro concepto es de servicio. Somos los que más cobramos y no nos interesa buscar clientes que no entren en este nicho.

Nuestro concepto es apostarle a la innovación.

El problema se da cuando el director y, en consecuencia, todo el equipo no tienen ni idea de "a qué le tiran".

Me ha tocado, en mis propios proyectos, que me pregunten ¿cuál es el concepto?, y un día doy una explicación y al otro día otra, y la siguiente semana la cambio, y eso está a toda madre cuando se trata de ser creativo, pero cuando se trata de emprender, contagiar y hacer, me he fijado que si no lo tengo claro perjudico bastante; pobres de los que me rodean cuando ando en mis días divergentes, me dan unos ataques *coliconfundidores* que a todo mundo vuelvo loco. ¿A poco a ti nunca te ha pasado?, y ¿a tu equipo?, que llegan esos días que no sabes qué quieres ni pa' qué lo quieres y además te enojas porque no te entienden.

Para que haya claridad es muy importante que de tus ideas y de tus proyectos siempre saques un concepto sencillo, fácil de explicar, una idea central que en un dibujo o en dos renglones lo explique todo, porque cuando tienes tan claro tu concepto rector a los demás les es fácil subirse al barco.

Trabaja todas las horas que sean necesarias para que puedas responder la siguiente pregunta en un *pitch* de 60 segundos:

2 [CONCEPTO]

¿Cuál es el concepto rector de tu proyecto? La idea central a la que todo se alinea.

Un proyecto sin concepto es un montón de acciones, buenas intenciones e inversiones que no embonan.

© Liderazgo Quántico. Todos los Derechos Reservados. 2015

LA PREGUNTA ◆	¿Cuál es el concepto rector de tu proyecto? La idea central a la que todo se alinea.
VIDA ◆	Mi concepto es hacer de mi vida una aventura, en la que prefiero arrepentirme de algo que experimenté que de lo que nunca me atreví a intentar.
NEGOCIOS ◆	Mi concepto es crear una app que haga que los usuarios logren en tres minutos lo que con software tradicionales se hace en una hora.
PAREJA ◆	El concepto de nuestra relación podría ser "no estar juntos porque tenemos que estarlo sino porque hacemos una elección diaria".

Si te fijas, el concepto es una idea que puedes expresar en dos o tres renglones, que es muy sencilla de captar y la vuelves todavía más poderosa si la complementas con una imagen, porque a un equipo le es más fácil conectarse con un concepto que se refuerza visualmente:

Hacer un concepto significa sintetizar en pocas palabras o en una imagen qué es lo que queremos emprender; si podemos transmitirlo en un minuto, está bien planteado; si nos tardamos dos horas en explicar algo hay que invertirle mucho más tiempo para preparar un *pitch* de 60 segundos.

Por algo don Winston decía que él se tardaba ocho horas en preparar un *discurso* de un minuto, pero que para hablar dos horas ni siquiera tenía que prepararse.

> *Las improvisaciones me entusiasman. Pero únicamente cuando he tenido tiempo de prepararlas cuidadosamente.*
> —Churchill

Hoy en día quienes desarrollamos ideas tenemos pocos minutos para expresarles nuestro concepto a clientes, inversionistas y colaboradores. Por eso esta habilidad de hacer conceptos claros, poderosos y fáciles de comunicar es básica para una mente de estratega.

Si te costó trabajo llegar al concepto quizá sea porque aún no tienes tan claro lo que quieres hacer.

Es probable que después de definir tus líneas de acción regreses a cambiar tu concepto.

Puedes ir y venir de un lugar a otro, lo importante es que llegues a un nivel de claridad, que te sea fácil explicar tu concepto en menos de 60 segundos.

Líneas de acción

Me ha tocado preguntarle a más de alguna persona ¿cuáles son las líneas estratégicas con las que piensas innovar?, pero que en vez de decirme sus líneas de acción me responden con un *check list*, o sea, con un montón de actividades sin ton ni son.

Hacer listas de actividades está bien cuando ya tienes claras tus principales líneas estratégicas, pero hacer por hacer es una pérdida de tiempo. Para tener la mente clara de un estratega es importante que puedas explicar tu plan de una forma más general en líneas estratégicas. Una línea estratégica es una idea a la que alineas todas tus actividades y tus esfuerzos; la mejor forma que yo conozco de representar una línea estratégica es una flecha, porque la flecha nos habla de dirección y les da claridad a nuestras actividades; por ejemplo, si una línea estratégica tuya es bajar el costo de tu producto, entonces actividades como ahorrar en desplazamientos o hacer inventarios tendrán sentido; si no tienes la flecha te puedes perder en un mar de actividades. De alguna forma la flecha es el título de las actividades que estás haciendo, si haces actividades que no tienen título, tu mente está confusa.

Para concebir una estrategia y comunicarla es muy importante que sean pocas flechas (líneas de acción); yo recomiendo tres, porque te dan mucha claridad, no son difíciles de memorizar y te ayudan a agrupar fácilmente:

Una problemática que he encontrado en algunos emprendedores o en compañías es que a veces hay dificultad para agrupar en categorías que se entiendan fácilmente, así que vale la pena que inviertas tu tiempo en pensar bien cuáles son esas tres flechas con las que comunicarás tu proyecto, las tres líneas estratégicas a las que todo se alinea y le dan sentido a cualquier actividad.

Las acciones que no entran en estas tres líneas no son importantes para tu proyecto. Por eso la mejor forma de organizar tu mente es primero definir tus líneas estratégicas y luego tus actividades, no al revés.

3 [ESTRATEGIA]

Plantea en tres flechas cuál
será tu estrategia.

*Chalanear es tener un
check list de actividades
sin sentido. Liderar es
tener una estrategia
que le dé sentido a tus
actividades.*

LA PREGUNTA ◆ Plantea en tres flechas cuál será tu estrategia.

Mis tres líneas de acción son para tener una mejor
vida:

VIDA ◆   - Cuidar mi alimentación.
        - Seguir preparándome.
        - Invertir tiempo en mi diversión.

NEGOCIOS ◆	Mis tres líneas de acción son en la estrategia de comercialización: - Hacer que la empresa gire alrededor del cliente. - Crear un área de proyectos de innovación en producto y servicio. - Comunicar la estrategia.
PAREJA ◆	Las tres líneas de acción que yo tendré con mi pareja: - Escuchar más. - Decir lo que pienso. - Poner más energía para divertirnos.

Para que esta estrategia sea aún más fácil de transmitir y entender, la puedes comunicar a través de un boceto:[1]

---

[1] En LQ, nuestro centro de innovación, hemos desarrollado Estrategia LQ, una herramienta para ayudar a los emprendedores a bajar sus estrategias de forma clara y poderosa, misma que hemos probado con diferentes casos de éxito en los recientes cinco años.

Emprendopatía

Cuando ya tienes claras tus flechas, es momento de detallar las actividades que vas a hacer, porque toda actividad tiene que hacer sentido con tu estrategia; por ejemplo, si dices: "Voy a invertir en equipo tecnológico", la pregunta sería: ¿esa inversión de qué forma se suma a tu estrategia?, ¿a qué flecha se alinea?, porque si no te sucedería que haces un montón de cosas y no llegas a ningún lado. La claridad es básica para lograr la mente de estratega, porque hace que todos los esfuerzos tengan sentido:

¿En cuántas empresas no hemos visto personas aburridas o desmotivadas porque simplemente sienten que sus actividades no tienen oficio ni beneficio?

Cuando ya tienes claro el rumbo es vital que les des seguimiento a todos los detalles. Ser aferrado, obsesivo, compulsivo, enfadoso puede ser un defecto, pero cuando estás en la posición mental del emprendedor y la idea es lograr que tu proyecto se haga realidad hay momentos en que no soltar ningún detalle puede ser de ayuda:

¿Cuántas personas no conoces que tenían grandes ideas pero que no lograron nada porque perdieron el enfoque?

4   [SEGUIMIENTO]

¿Cuáles son los puntos específicos a los que le necesitas dar seguimiento?

¿Cómo, cuándo y dónde?

Sin seguimiento las ideas van directitas al panteón.

LA PREGUNTA ◆	¿Cuáles son los puntos específicos a los que necesitas darles seguimiento?
VIDA ◆	Principalmente darle seguimiento a monitorear mi salud.
NEGOCIOS ◆	A los proveedores y a los vendedores, ésos son mis dos focos de seguimiento para que el negocio sea un éxito.
PAREJA ◆	A nuestros temas complicados, pues nos es muy fácil evadirlos y olvidarlos.

Y no sólo se trata de dar seguimiento, sino de ponerle toda tu pasión neurótica para cuidar cada detalle importante. Me sorprende lo flexible que tiene que ser la mente de un innovador para transformarse en un instante de un *hippie* divergente a un monstruoso competidor tipo Juan el rudo Rockefeller, que consideraba sus proyectos una guerra santa.

Nomás pa' que te des una idea, ahí te va una frase del buen Juan: "Levántate pronto, trabaja hasta tarde y encuentra petróleo". Cuando ves lo aferrados-obsesivos-dañados-necios-egoístas-hijos de la competitividad que han sido los grandes *emprendópatas* de la historia te das cuenta de que en innovación *hasta los más grandes defectos pueden ser virtudes, colocados en el lugar adecuado.* Así que deja que unos instantes ese emprendedor patológico que hay en ti salga a perfeccionar tu proyecto:

5 [EMPRENDOPATÍA]

¿Qué tienes que hacer para asegurar que la solución que planteaste esté bien hecha?

En psicoterapia ser controlador es neurosis, en innovación es talento.

LA PREGUNTA ◆	¿Qué tienes que hacer para asegurarte de que la solución que planteaste esté bien hecha?
VIDA ◆	En mi proyecto lo más fácil sería caer en la trampa y dejar de hacer mi media hora diaria de meditación. Tengo que ser muy cuidadoso con mi agenda, no ceder, ser un neurótico-obsesivo en guardar ese tiempo para mí; paradójicamente, luego meditar se tratará de soltar el control.
NEGOCIOS ◆	Hay que cuidar el empaque, que luzca, que los cortes del cartón sean perfectos, y para eso hay que esforzarnos en encontrar el mejor proveedor.
PAREJA ◆	Hay que ser muy cuidadosos en "no dejar que nos coma el diablo", o sea, que los compromisos sociales y familiares no terminen por no dejar tiempo para nuestra relación en un sentido más íntimo.

Si ya tienes claro tu concepto, tus líneas de acción, tus actividades y los detalles a los que hay que darles seguimiento, no olvides seguir probando; quizás, aunque tu proyecto ya esté en marcha, valga la pena pilotear algunas de las ideas. Probar en la posición mental del creativo tiene un carácter mucho más lúdico y divergente, pero cuando estás de emprendedor y la idea que decidiste implementar es arriesgada, vale la pena seguir haciendo pilotos en los que puedas experimentar teniendo un poquito más de control del riesgo.

6   [PILOTO]

¿Decides hacer algún piloto
o experimento?

¿Cuál y con qué objetivo?

¿Cuánto tiempo y dinero
le invertirás?

Apostarle a la innovación significa tener en tu agenda y en tu presupuesto un espacio para pilotos.

© Liderazgo Quántico. Todos los Derechos Reservados. 2015

LA PREGUNTA ◆	¿Decides hacer algún piloto o experimento?, ¿cuál y con qué objetivo?, ¿cuánto tiempo y dinero le invertirás?
VIDA ◆	Mi piloto será durante tres días de la semana no comer lácteos, el objetivo es ver si me siento mejor y menos inflamado; entonces, una vez que vea si me funciona o no, decidiré qué hacer.
NEGOCIOS ◆	Vamos a pilotear cómo funcionaría nuestro producto con un empaque muy diferente. El objetivo es conocer la reacción de nuestros clientes, pero como es un poco riesgoso lo voy a probar en la plaza más pequeña.
PAREJA ◆	¿Qué tal si probamos agendar los pleitos?, no sé, martes de desahogo y miércoles de fiesta, ¿funcionará?, ¿probamos un par de semanas?... El martes sacamos el guardadito de enojo y el miércoles la pasión acumulada.

Conexión total

Además de tener claro tu concepto, tus líneas de acción, tus actividades clave y los pilotos que quieres hacer, es importante que como buen estratega te asegures de que tu idea sea integral, que esté alineada y conectada con todo.

Sabes que un proyecto está redondo y bien alineado con la vida cuando:

- ✓ Te beneficia a ti.
- ✓ Te apasiona.
- ✓ Beneficia y contagia a otros.
- ✓ Cubre necesidades que no están cubiertas.
- ✓ Tiene un propósito superior.
- ✓ Es sostenible en el tiempo.

Por eso, cuando quieras asegurarte de que tu proyecto está bien alineado, aplica esta pregunta:

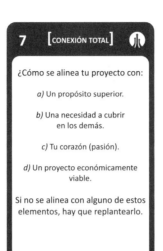

7 [CONEXIÓN TOTAL]

¿Cómo se alinea tu proyecto con:

a) Un propósito superior.

b) Una necesidad a cubrir en los demás.

c) Tu corazón (pasión).

d) Un proyecto económicamente viable.

Si no se alinea con alguno de estos elementos, hay que replantearlo.

© Liderazgo Quántico. Todos los Derechos Reservados. 2015

Si tu proyecto está alineado con un fin superior a tus intereses, el éxito será una consecuencia.

¿Cómo se alinea tu proyecto con:
a) Un propósito superior.
LA PREGUNTA ◆
b) Una necesidad a cubrir en los demás.
c) Tu corazón (pasión).
d) Un proyecto económicamente viable?

VIDA ◆ Mi proyecto cubre mis necesidades, sí, definitivamente, y es económicamente viable, pero no me había puesto a pensar si cubre la necesidad de alguien más. Se me hace que más bien los perjudica, ¿cómo podría lograr el objetivo sin crear destrucción a mi alrededor?, buena pregunta, creo que me regreso al explorador.

NEGOCIOS ◆ Nuestro proyecto cubre una necesidad en el tema de ocio en la ciudad, económicamente es viable, pero siento que le falta corazón, algo hay que ponerle para que el equipo y yo realmente conectemos con esta propuesta.

PAREJA ◆ Bueno, los primeros beneficiados que cubrirán una necesidad con este proyecto de pareja serán nuestros hijos, definitivo, hay propósito superior, pero... ¿cómo lo haremos realmente viable?

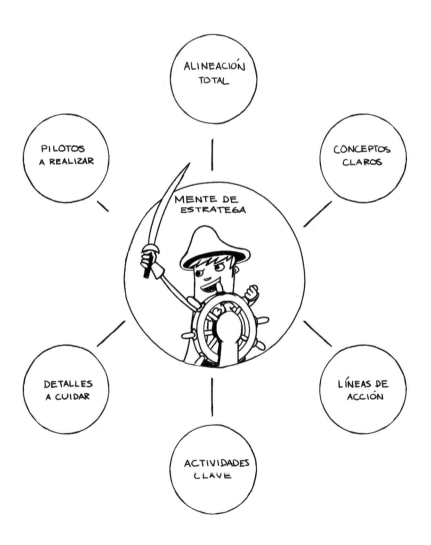

CONTAGIAR

Tercera característica de la posición mental del emprendedor

Es muy raro que un cambio se haga solo, sin subir al barco a otras personas.

Los proyectos que cuajan son ideas que contagiaron a un grupo social, productos que enamoraron al mercado o negocios que beneficiaron no sólo al dueño de la empresa sino a sus clientes. Por eso, aunque tu idea esté hipermegachingona, sea revolucionaria, original y tenga un buen plan, todo valdrá caca-huates si no la sabes vender; es como querer practicar el *Kamasutra* de la sexualidad cuando tu pareja no te ha comprado la idea de hacerlo.

La tercera característica de la posición mental del emprendedor es esa habilidad para contagiar a otros, para hacer de tus clientes, de tu pareja, de tus hijos y de tus colaboradores cómplices de tu sueño.

Entonces, primero que nada, cuando quieras vender una idea ten claro quiénes son tus clientes, o sea, a quiénes necesitas contagiar de tu proyecto.

Si necesitas venderle tu proyecto a tu jefe y su lenguaje es de números, entonces tienes que decirle cuánto le va a generar ese proyecto a su empresa; pero si a quienes les tienes que vender tu proyecto son tus papás y a ellos lo que les preocupa es que no te vayas a endeudar, pues tus argumentos serán muy diferentes, y más diferentes serán aún si lo que quieres venderle a tu pareja es la idea de que sus encuentros amorosos sean más divergentes.

Normalmente los proyectos tienen muchos clientes, y cuando se te olvida vendérselo a alguno de ellos ahí viene el sabotaje. Si tu proyecto implicará que inviertas tiempo de los fines de semana y no se lo vendiste a tu familia, tendrás una lucha en casa que te robará mucha energía, porque es vital que el emprendedor tenga esa capacidad de subir gente a su barco.

Cuando uso la palabra *vender* no estoy diciéndote que le eches un choro mareador a la gente, porque de esa forma, manipulando, los puedes convencer tres días, pero no estarán contigo compartiendo un sueño. La pregunta que necesitas hacerte es: ¿de qué forma mi proyecto puede beneficiarlos a ellos? Si te pones a pensar lo que ellos necesitan será mucho más fácil.

Mira, puedes comenzar con esta tablita:

QUIÉNES SON MIS CLIENTES PARA ESTE PROYECTO	CUÁLES SON SUS CARACTERÍSTICAS PRINCIPALES	DE QUÉ FORMA ELLOS PODRÍAN BENEFICIARSE DE MI PROYECTO

Centrarte en lo que beneficias al otro es un paradigma mucho más contemporáneo para vender, porque antes la idea de vender era tener argumentos sólidos, buen verbo y convencer al otro, y fíjate cómo la palabra *con-vencer* tiene que ver con ganar la partida, con imponer tu idea, pero cuando convences a alguien por tus… argumentos, el efecto es de corto plazo; en cambio, si te centras en "comprender" cuáles son los beneficios que esa persona puede tener estás ganándote un cómplice, subiéndolo a tu barco, que en determinado momento ya no será sólo tu barco sino de ambos; qué bonito se siente cuando dejamos de decir "mi proyecto" y empieza "nuestro proyecto", porque ahí sabes que ya hubo contagio. Hace seis años, cuando tuve, junto con mis socios Inge, Yaz, Kari y Fer, la oportunidad de vender una idea de negocio por primera vez a un grupo de personas que querían invertir y participar en este sueño, recuerdo que al principio se escuchaba en nuestras negociaciones "ustedes ganan", "ustedes recibirán", pero supe que todos estábamos retecontagiados de esta pasión cuando las frases eran "nosotros", "cuando hagamos", "cuando compartamos", "cuando lleguemos".

Unos meses antes René, Josué y Marlene nos dijeron en una reunión: queremos invertir en ustedes, apostarle a su talento. A mí se me cayeron los pantalones, creí que eso sólo pasaba en los programas de televisión, ¿qué hago?, ¿cómo lo planteo?, ¿cuánto vale lo que hago?, fueron mis primeras preguntas.

Hoy estoy muy agradecido, porque en esas negociaciones, que duraron como seis meses, aprendí que vender no es un proceso de convencimiento; hoy pienso que:

Vender es un proceso de contagio progresivo que debe terminar en beneficios para todas las partes.

¿Cuál es la idea que tienes de ti como vendedor?, ¿te consideras bueno?, ¿en qué sí y en qué no?

He conocido muchos innovadores que me dicen que son muy creativos pero que a ellos la venta nomás no se les da, y yo les respondo que si quieres ser innovador, la venta de ideas y proyectos está incluida en el paquete, pero no desde la perspectiva viejita de ventas, de manipular al otro, sino desde el enfoque nuevo de entender a los demás y contagiarlos de un sueño, y ésa es la palabra clave: ¡*contagiar*!

Entonces, más allá de aprenderse un chorro de técnicas sobre cómo persuadir a otros lo que necesitas es estar totalmente infectado de tu idea, al grado de que antes de hablar ya le hayas pegado la pasión a tu jefe, cliente, socio o inversionista.

Cuando un emprendedor está vendiéndole su idea a un grupo de inversionistas, claro que cuenta el retorno de la inversión, el tamaño del mercado al que va su producto, la originalidad de la idea, pero todas esas cualidades se verán opacadas si el emprendedor no está infectado en grado mil de su propia idea.

Contagia con una historia

Ahora bien, hay muchas formas de presentar tu proyecto; una de las que más te recomiendo es contar una historia, porque cuando tú cuentas la historia que hay detrás de tu idea es más fácil contagiar.

Hay historias contadas con números, con sucesos, con otros casos de éxito, ese día que tú vas a presentar es vital que tengas una historia que en menos de 60 segundos enamore a tus clientes, ya sean inversionistas, tu jefe, tus papás o tu pareja.

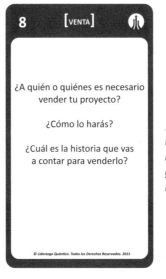

Mira, ya con la pregunta completa puedes complementar la tabla:

¿A quiénes les vendo mi proyecto? ¿Quiénes son mis clientes?	En qué van a salir beneficiados	Cómo se los voy a vender	Qué historia les voy a contar

LA PREGUNTA ◆	¿A quién o quiénes es necesario vender tu proyecto?, ¿cómo lo harás?, ¿cuál es la historia que vas a contar para venderlo?
VIDA ◆	A mis papás. Explicándoles la idea un sábado en la tarde que estén de buen humor. La historia será del futuro, les diré dos escenarios, en uno soy un amargado que estudió la carrera por la que su papá lo presionó y en la otra soy alguien a quien a veces le fue bien y a veces mal, pero que eligió por sí mismo.
NEGOCIOS ◆	Este proyecto se tiene que vender en varios niveles, pero el estratégico es con los mandos medios, porque ellos son los que contagiarán a sus colaboradores; si los gerentes no lo compran el proyecto fracasará. Lo que haré es un evento donde ellos serán los primeros en ver el proyecto y le aportarán sus ideas. La historia que les contaré es que cuando este negocio empezaba fuimos innovadores, luego cuando tuvimos éxito caímos en zona cómoda, hoy estamos en una encrucijada: o retomamos la innovación o morimos.
PAREJA ◆	Creo que tengo que venderle a mi pareja la idea de que podemos ser más versátiles en las posiciones en las que tenemos sexo, en lo que ella saldrá más beneficiada es que yo voy a poner más interés en ser creativo no sólo en las posiciones sino hasta en los preámbulos. La historia antiinspiración que le voy a contar es la leyenda de los amantes que terminaron convirtiéndose en hermanitos por falta de innovación.

Enamora con un negligé

Además de saber a quién le vendes, de comprenderlo, de tener una historia que contar, también es muy importante que tengas en cuenta el aspecto visual con el que lo vas a presentar; he conocido emprendedores que me dicen: "Valió la pena invertir tiempo y dinero en una buena presentación", porque si llegas con una sosa tabla de Excel es probable que sólo convenzas al contador, y si haces tu presentación con un escolar Power Point lleno de letras e imágenes prediseñadas, ni al contador convencerás.

Para que dejes muy redondita la venta de tu proyecto es importante que tu *pitch* tenga un buen sustento visual, una presentación interactiva, un video, una caricatura o un atractivo *negligé* para que a tu pareja le sea imposible negarse.

¿Qué tienes qué hacer para que tu proyecto sea más que atractivo... irresistible?

La bella vestida de mona se queda sin cliente.

LA PREGUNTA ◆	¿Qué tienes que hacer para que tu proyecto sea más que atractivo... irresistible?
VIDA ◆	Pegar en mi cuarto las imágenes de los lugares a los que quiero ir en mi viaje.
NEGOCIOS ◆	Diseñar un empaque sencillo y elegante y llevarlo en *dummie* el día de la presentación con los inversionistas.
PAREJA ◆	Arreglar nuestra habitación para sentirnos más amantes que hermanitos.

Ponle velitas a tu propuesta

Hemos dicho que para vender tu proyecto primero piensas en quién es el cliente, en qué saldrá beneficiado, qué historia le vas a contar y qué presentación visual le vas a mostrar. Ahora, si quieres que la experiencia sea aún más poderosa, piensa también en la atmósfera, ¿cuál es el ambiente en el que sus emociones estarán más dispuestas a participar en tu proyecto? No es lo mismo plantearle un problema a tu pareja en la cocina donde siempre se pelean, que estar en un ambiente acogedor, como tampoco es lo mismo plantearle una idea a tu equipo en los minicubículos en donde trabajan, que tomando un delicioso café en un ambiente diferente. No sé si te has dado cuenta, pero a lo largo de todo el *Kamasutra de la innovación*, desde la primera parte del libro, pasando por cada una de las posiciones mentales, la atmósfera es la clave, a fin de cuentas no hay buen vino ni buen café sin buen microclima.

Las personas y las ideas son semillas, pero sin buen microclima no evolucionan.

En este caso como emprendedor cuida muy bien la atmósfera en la que vendes tu proyecto, y no nada más eso, el ambiente en el que después se va a desarrollar; visualízate como un enólogo que cuida el sol, la sombra, el riego, los tiempos de cosecha y todos los factores para que su vino quede balanceado, complejo y expresivo.

No te quedes en la pura venta, si te llevas a tu pareja al motel más bonito de la ciudad, pero ya cuando viven juntos su cuarto tiene una decoración matapasiones, ¿qué puedes esperar? Las parejas necesitamos una atmósfera que nos incite a practicar el *Kamasutra*, igual que las compañías requieren ambientes que provoquen, ganas de innovar:

10 [ATMÓSFERA]

¿Cómo vas a construir el ambiente para que tu proyecto sea posible?

No basta con generar la idea, también hay que trabajar la tierra donde la sembrarás.

© Liderazgo Quántico. Todos los Derechos Reservados. 2015

LA PREGUNTA ◆	¿Cómo vas a construir el ambiente para que tu proyecto sea posible?
VIDA ◆	Sobre todo con mis hijos, invirtiendo al menos dos veces por semana tiempo para jugar al aire libre y platicar de nuestros sueños y proyectos.
NEGOCIOS ◆	En esto hay mucho por hacer. Primero la agenda. Hacer que la innovación sea una prioridad dándole tres horas a la semana. Luego con el espacio; cuando veo nuestras oficinas pienso que son más anticuadas que unas trusas de abuelito en una primera cita. Si decoramos diferente despertaremos más pasión por innovar. Y por supuesto, un espacio más contemporáneo me va a facilitar contagiarlos de mi idea. En cuanto al lugar donde les venderé la idea no hay duda: en la convención en la playa.
PAREJA ◆	Nunca he querido invertir en la ambientación de nuestro cuarto, pero ahora que lo veo, ese cuarto no es para amantes, sino para monjes.

No te encueres sin negociar

Para ser un emprendedor que contagia te enamoras de tu idea, escuchas a los otros, les vendes y tratas de crear la mejor atmósfera, pero ahí no se acaba el trabajo; durante todo el proyecto va a haber nuevas dificultades, y por eso subir a otros al barco no se trata exclusivamente de un *pitch* rapidín, "ya te contagié y todo listo", ¡no!, navegar junto a otros en el mismo barco implica un contagio constante, con relaciones de mucho tiempo en las que no paras de negociar.

11 [NEGOCIACIÓN]

¿Qué necesitas negociar
y con quién?

Dice Karrass:
''No tienes lo que
mereces, sino lo
que negocias''.

LA PREGUNTA ◆ ¿Qué necesitas negociar y con quién?

VIDA ◆ Antes que nada necesito negociar conmigo mismo, aún no estoy seguro si quiero emprender este nuevo proyecto. Por un lado quiero la adrenalina, el posible éxito, pero otra parte de mí quiere una vida más tranquila, sin tanto sobresalto. No sé si les pueda dar gusto a ambas partes.

NEGOCIOS ◆ Veo varias mesas en las que necesito negociar, primero la del presupuesto con mi jefe, luego la de los intereses en contra con mis colegas y después la más importante: la del esfuerzo extra con mis colaboradores; pienso que si no negocio bien, alguien va a terminar saboteando el proyecto.

PAREJA ◆ Creo que necesitamos negociar dónde pasamos Navidad y año nuevo, lo dimos por hecho desde hace muchos años, pero yo no estoy a gusto con el "acuerdo", si es que así se le puede llamar.

Cuando no negocias bien desde un principio puedes estar sembrando la semilla del sabotaje. Cuando inicia un sueño dices que sí a todo, pero no sabes si esos "sís" después te van a jugar en contra, porque negociar se trata de que todos ganen, incluido tú, y aunque estés enamoradísimo de tu idea es importante que cuides tus intereses por el bien de todos. Esto que te estoy diciendo aplica si en tu historia como negociador tiendes a ser un sumiso silvestre, una persona que al negociar tiene la costumbre de bajarse los calzones sin que nadie se lo pida. Los sumisos silvestres tienden a sentirse víctimas, consideran que sus jefes, socios o inversionistas abusaron de ellos, pero en realidad tienen una tendencia a bajarse los chones y luego reclamarle al otro que no se los haya subido. En el otro extremo tenemos a los conquistadores salvajes, esos jijos de Rockefeller que quieren llevarse todas las canicas en todas las jugadas; obviamente los conquistadores ganan muchas batallas, pero pierden muchos amigos con los que podrían hacer nuevos proyectos y se generan enemigos silenciosos que terminan por cobrárselas.

¿Qué tipo de negociador has sido hasta ahora?

SUMISO SILVESTRE VS CONQUISTADOR SALVAJE

Detente un instante y piensa en las cuatro negociaciones más importantes de tu vida.

¿Cómo te fue en cada una de esas negociaciones?, ¿el resultado fue el esperado?, ¿quedaste satisfecho?, ¿cómo quedó la relación? Estos tres aspectos son los indicadores de una negociación.

Resultado: si tú ibas por un 10 de descuento y te lo dieron, lograste el resultado.

Satisfacción: tú ibas por el 10 y lo lograste, pero después te diste cuenta de que la persona con la que estabas negociando estaba dispuesta a darte el 30. Lograste el resultado pero quizá no quedaste tan satisfecho al ver que podrías haber logrado mucho más. El resultado es objetivo, la satisfacción depende de cómo percibas el resultado.

Relación: tú ibas por el 30, pero tienes un verbo impresionante y saliste con el 50 de descuento, mareaste a la otra persona y terminó bajándose los calzones tres veces, pero dos días después se da cuenta de que en términos de negociación "fue violado", lograste tu resultado, pero hiciste pedazos la relación. Otro ejemplo para explicar el indicador de la relación es que tú cediste en todo con tal de que la relación fuera bien, como quien dice "te bajaste los chones pa' convivir", y entonces puedes pensar: "Me sacrifiqué por la relación, lo bueno es que la relación quedó bien"; lamento decepcionarte, cuando alguien se sacrifica sistemáticamente para que la relación quede bien, pero la balanza se inclina totalmente de un lado, tarde o temprano va a explotar ese encabronamiento acumulado que se da cuando cedes por convivir, y ahí también podríamos decir que la relación no quedó bien. Conociendo que existen los negociadores sumisos y los salvajes, y que los indicadores de la negociación son el resultado, la satisfacción y la relación, date permiso de ser muy honesto contigo mismo y llena la tabla "Mi historia como negociador", en la que incluirás las cuatro negociaciones más importantes de tu vida.

¿Con quién y qué negocié?	¿Qué tipo de negociador fui?	¿Cuál fue el resultado?	¿Qué tan satisfecho o insatisfecho quedé?	¿Cómo quedó la relación?

Al ver estas cuatro negociaciones, ¿qué descubres de ti?, ¿qué tipo de negociador tiendes a ser?, ¿qué cambios necesitas hacer para crecer como innovador y que a ti y a tus proyectos les vaya muy bien?

Si quieres convertirte en un emprendedor que genere relaciones de largo plazo al mismo tiempo que logre sus objetivos, es vital que cada que vayas a negociar tomes en cuenta los siguientes puntos:

1) Saber qué carajos quieres.

No hay peor negociador que el que no tiene ni idea de qué quiere, ni para qué lo quiere.

Déjame te platico algo personal. Según yo, estaba negociando con mi pareja si teníamos otro hijo, y yo le decía: "Ándale, hay que echarnos otro chamacón, que sea esta misma noche", y ella me decía: "Hay que pensarlo mejor", y todo eso se convirtió en un juego erótico bastante divertido hasta que un día me dijo: "Ándale pues, vamos a hacer un hijo", y en ese momento me cayó el veinte de que yo no sabía si quería, entonces iba a negociar sin estar seguro de lo que estaba pidiendo, y hasta que me dijeron que sí me pregunté: "Ah chingao, pos ¿qué quiero?"

Aprendí que hay que reflexionar acerca de lo que queremos antes de sentarnos a negociar con alguien. ¿Tú que quieres?, ¿descuento?, ¿precio?, ¿plazo?, ¿apoyo?, ¿placer?, ¿posiciones?, ¿preámbulos?, ¿navidades?, ¿hijos?

2) ¿Qué carajos quiere el otro?
Si ya sabes qué quieres, tienes lo mínimo indispensable, pero si eres un buen negociador vas a escuchar al otro para descubrir lo que desea. Los pésimos negociadores no saben qué quieren,

los negociadores regulares saben lo que quieren, pero los mejores negociadores descubren lo que quieren los otros.

Velo así: si la persona que te va a comprar tu proyecto lo que quiere es una idea original y tú te bajas los chones ofreciéndole descuentos que no te pidió, ¿no crees que sería mejor idea preguntarle sus opiniones e intereses antes de que tú hables?

Para ser un extraordinario negociador hay que escuchar más, comprender más y hablar sólo cuando llegue el momento.

3) Preparar la negociación.
Si te fijas, pensar en qué quieres e investigar qué quiere el otro implica tiempo de preparación. Así como inviertes tiempo en construir tus ideas, es muy importante que le inviertas en preparar la forma en la que las vas a negociar.

Si lo tuyo es una patente, investiga la ley, cómo se manejan los derechos y qué opciones tienes. En general es muy importante asesorarse con expertos en las cuestiones legales que tienen que ver con proyectos de innovación, pero además hay que hacerse muchas preguntas antes de sentarse a negociar con las personas claves de nuestro proyecto; aquí te comparto algunas de esas preguntas, no para que las conozcas, sino para que cada que vayas a negociar regreses al libro y vuelvas a aplicarlas, porque negociar requiere mucha práctica, pues a fin de cuentas en la escuela medio nos enseñaron matemáticas y español, pero no nos enseñaron a darles valor a nuestras ideas, ni mucho menos a negociarlas (ni las ideas tampoco); cada quien negocia de acuerdo con lo que vio, y el resultado es que por no prepararnos mandamos muchos proyectos al matadero. Cuando vayas a negociar pregúntate: ¿cuánto vale mi idea?, ¿en qué me baso para darle ese valor?, ¿con quién estoy negociando?, ¿la otra persona que quiere?, ¿yo qué quiero?, ¿hasta dónde estoy dispuesto a ceder?,

¿qué otras alternativas podrían funcionar?, ¿qué otras cosas están en juego en esto?, ¿me conviene esperar o proponer?, ¿es momento de negociar o mejor dejo pasar un poco más de tiempo?, ¿cuál será mi estrategia?, ¿en dónde y con qué condiciones me conviene negociar?

Para preparar una buena negociación se requiere tiempo para que reflexiones sobre todas estas preguntas y no vayas como el Borras, porque muchos negociadores que no pensaron antes piensan mientras hablan, y eso es catastrófico.

¿Crees que esta información te pueda ayudar a preparar mejor tus próximas negociaciones? Quise incluir este tópico en el *Kamasutra de la innovación* porque me parece muy triste ver proyectos increíbles que se frustran porque no fueron bien negociados.

EL EMPRENDEDOR EN SÍNTESIS

✓ Hasta ahora hemos dicho que el explorador, el *disrupto* y el creativo son posiciones mentales divergentes que nos ayudan a abrir cientos de posibilidades.

✓ Que el emprendedor es la posición convergente del *Kamasutra de la innovación* que nos ayuda a fecundar nuestras ideas y no quedarnos en puñeteras divagaciones.

✓ Que las características del emprendedor son:

1) *La mente en acción:* que se trata de cambiar el enfoque a concretar y decidir, más que idear.

2) *La mente de estratega:* en la que tienes una gran claridad acerca de lo que quieres, tu concepto, tus líneas de acción, actividades claves, pilotos y alineación total.

3) *Mente contagiadora:* para infectar a clientes, inversionistas, amigos o familiares para que todos se suban al barco. Para ello no sólo tienes que saber vender, sino también negociar y ser un creador de atmósferas para que las cosas sean posibles.

Retrato del emprendedor

Del 0 al 10, ¿qué tanto te identificas con las luces y sombras de un emprendedor?

___ Soy una persona con mucha energía enfocada en actuar y lograr.

___ Suelo empujar para que las cosas se hagan y cuando tomo una idea la llevo hasta el final.

___ Soy una persona enfocada, con claridad, que sabe lo que quiere, aunque a veces me cuesta cambiar tanto de planes como de opiniones.

___ Soy un vendedor nato, sé contagiar a los demás de los proyectos en los que estoy involucrado.

___ *¿Qué me mueve?* El éxito. Para mí los logros tienen prioridad sobre aprendizajes o ideas originales.

___ *¿Mi atrevimiento?* Me atrevo a hacer y aterrizar cuando otros divagan o se paralizan.

___ *¿Mis miedos?* El fracaso, la mediocridad y perder el tiempo.

___ *¿Qué le aporto a mi equipo?* Energía, fuerza, dinamismo y compromiso. Si trabajas conmigo sabes que voy a mover el mundo, no soy en absoluto pasivo.

___ *¿En qué afecto a mi equipo?* Me cuesta encontrarle valor a las conversaciones divergentes y a los conocimientos que no están directamente relacionados con la productividad, así que suelo empujar a la acción descuidando la creación. En extremo mi enfoque en el resultado afecta mis relaciones y el ambiente, porque priorizo los logros sobre las personas.

___ *En el sexo como en la innovación:* Me excita conquistar, tener el control y ser reconocido.

Suma tus resultados y divídelos entre 10: ___

RECOMENDACIONES

SI TE IDENTIFICAS COMO EMPRENDEDOR (+ de 7 puntos):

—*Aprovecha tu talento:* Tú empujas al éxito, eres alguien que hace que las ideas no se queden en las nubes. Tu energía es vital para un proyecto.

—*Inteligencia colectiva:* Busca socios, aliados y compañeros que te ayuden a desestructurar y encontrar posibilidades más divergentes:

(tu fuerza) × (ideas divergentes) = (resultados sorprendentes).

—*Trabájale:* En ser más flexible y divergente, haz actividades lúdicas o estudia disciplinas que no estén directamente relacionadas con tu trabajo.

—*En el sexo:* Suelta el control, dile a tu pareja que te dejas guiar y que te lleve a donde quiera. Practica más el misionero invertido; bueno, según seas mujer u hombre, el chiste es que tú te coloques abajo. La vida no se trata de estar siempre arriba.

SI NO TE IDENTIFICAS CON EL EMPRENDEDOR (– de 7 puntos)

—*Trabájale:* La posición de emprendedor implica que te pongas a aterrizar, que ejecutes planes, que actives esa energía que hay en ti para concretar.

—*Deshazte de las siguientes ideas:*
  a) El dinero no importa.
  b) El universo solito y sin mi participación conspirará para que lo logre.
  c) No soy vendedor.

—*En el sexo:* Toma la iniciativa, conquista, propón y pide lo que quieres.

—*Inteligencia colectiva:* Busca socios, aliados y compañeros emprendedores, para que juntos le den estructura y acción a sus proyectos.

Si persisten las molestias consulta a tu *coach* de cabecera.

Ahora que conoces las cuatro posiciones, ¿con cuáles te identificas más?, ¿cuál es tu reto?, Baja aquí tu puntaje (el promedio que sacaste en cada retrato al final de los capítulos):

	RETRATO EXPLORADOR	RETRATO DISRUPTO	RETRATO CREATIVO	RETRATO EMPRENDE-DOR
Mi puntaje				

¿Qué descubres al integrar tu perfil de inteligencia innovadora?

¿Cuáles son tus fortalezas?

¿Tus retos?

¿Qué decisiones es conveniente tomar en este momento de tu vida para seguir creciendo como innovador?

Ahora, una forma muy importante para crecer es seguir ampliando tu inteligencia innovadora, pero además otro camino que puedes seguir al mismo tiempo es rodearte de los perfiles que te complementan, hacer equipo con personas diferentes a ti, para que juntos conformen una sola mente.

¿Qué perfil consideras que tienen las personas que te rodean en tu familia y en tu entorno profesional?

Llena cada columna con los nombres de las personas que encajan en esa posición mental.

	EXPLORADOR	DISRUPTO	CREATIVO	EMPRENDEDOR
ENTORNO EM-PRESARIAL Cantidad de perso-nas que me rodean con este perfil de inteligencia innovadora				
ENTORNO PERSONAL Nombre de las perso-nas que me rodean con cada uno de estos per-files				

Al revisar tu entorno, ¿qué descubres?, ¿qué perfil es del que más te rodeas?, ¿por qué crees que es así?

¿Cómo puedes integrar y sacarle más provecho a las inteligencias que te rodean?, ¿qué decisiones es momento de tomar para potencializar la inteligencia colectiva?

Epílogo-advertencia

◆

Riesgos de usar el Kamasutra de la innovación

Durante todo el libro insistí en que tuvieras todas las orgías y encuentros creativos posibles para procrear la mayor cantidad de negocios y satisfacciones, porque el sexo y la innovación tienen mucho en común. En la mitología grecorromana la sexualidad simboliza la creación, y por lo mismo cuando Cronos[1] castra a Urano lo que hizo fue amputarle la creatividad, privarlo de su incontenible poder de creación con el que había dado vida a cíclopes, titanes y otros seres.

En nuestra sociedad hay muchas más castraciones de las que te imaginas; simbólicamente se castra a niñas y niños cuando no se les permite preguntar, imaginar y crear. De alguna forma este libro intentó incentivarte a que no andes castrando colaboradores ni jefes ni amigos ni hijos ni papás. Al contrario, la propuesta es que te conviertas en un auténtico alcahuete de la innovación, que los incites a todos a quitarse los tabúes y vivir una de las experiencias que más plenitud nos traen a los humanos: crear.

---

[1] Cronos es el Saturno romano, que por cierto era hijo del propio Urano, a quien mató por indicación de su madre.

◆ 323 ◆

Pero ahora, en este epílogo, "con la pena", te tengo que decir que el contrato tenía sus letras chiquitas también, porque igual que en la sexualidad, en la innovación si no te cuidas te atacan las enfermedades venéreas.

En el tema de la sexualidad, sólo en los sesenta no había necesidad de cuidarse tanto; entre la pastilla anticonceptiva y la penicilina hicieron posible la época de oro del sexo sin condón. Pero en la innovación nunca ha existido esa época de oro, las enfermedades venéreas siempre están al acecho y es mi responsabilidad, puesto que te he dado algunas herramientas, explicarte de qué te puedes contagiar y cómo te puedes cuidar.

Las enfermedades venéreas de la innovación son las secuelas y los efectos secundarios que provocan las cosas que inventamos.

Acuérdate que el innovador es un creador de olas, pero ¿qué sucede si la ola que crea tiene productos tóxicos o información contaminada? Cuando se innovó para que los carros se fabricaran en serie no sólo se logró comodidad para los usuarios, a largo plazo también generó contaminación y un mundo más sedentario.

Yo creo que quienes desarrollaron esta industria no tenían esa intención negativa, pero es importante que todos estemos conscientes de los efectos secundarios de lo que creamos y de cómo los podemos combatir.

Cada que se innova en la producción de comida rápida más personas se enferman, y aunque quienes inventaron la comida rápida sólo pensaban en cómo hacerle la vida más fácil al usuario —supongo—, se la hicieron tan fácil, pero tan fácil que colaboraron para que la sociedad ya no tenga que cocinar, puesto que la basura es comestible.

Y ahora tenemos que innovar en cómo curamos a esas personas que están comiendo porquerías, porque para que el organismo se adapte a comer plástico requerirá de unos 5 000 años, mínimo.

Un ejemplo mucho más cruel es que cada que se innova en tecnología de guerra se logra que con menos esfuerzos mueran más personas; en este caso no pude encontrar la intención positiva de los innovadores, a excepción del beneficio extraordinario que sus bolsillos reciben en proyectos de producción de armamento.

Para que la labor de un innovador tenga sentido es importante que enfoque su mente en crear cosas que aporten valor, que creen riqueza para muchas personas y que no comprometan el futuro de la comunidad ni del mundo: a eso se le llama sostenibilidad.

Al inicio del libro había dicho que la inteligencia innovadora era la capacidad de personas y equipos de hacer cambios que generaran éxito y felicidad, ahora agregaría que ese éxito y felicidad sean sostenibles.

> **Inteligencia innovadora**
> Capacidad personal y colectiva de hacer cambios
> que generen éxito y felicidad sostenibles.

Cuando no creamos soluciones sostenibles surgen los padecimientos de los que te voy a hablar.

Las enfermedades venéreas que pueden surgir por el mal uso del *Kamasutra de la innovación* son la chatarrifilis y la exitonorrea.

1) *Chatarrifilis:* este padecimiento viene de la familia de la sífilis, infección provocada por una bacteria que tiene cuatro fases y que puede provocar secuelas como ceguera, parálisis, demencia, trastornos neurológicos y muerte.

En el caso de la chatarrifilis es un padecimiento que aqueja a innovadores que les vale madre lo que venden, que lo único que quieren es ganar dinero y que no les interesa ni el cliente ni el futuro. Quienes crean productos y servicios que perjudican la salud o la inteligencia de la sociedad pueden contagiarse de chatarrifilis.

La chatarrifilis, igual que su prima la sífilis, tiene fases: primero genera mucho éxito, todo mundo está contento y nadie se imagina que se ha incubado una enfermedad venérea. En la segunda fase la vida del paciente queda vacía, lo único que tiene es dinero por joder gente y no la satisfacción de haber creado algo trascendente. Las innovaciones chatarra se encuentran principalmente en alimentos que dañan a la sociedad físicamente y en productos que la lastiman mentalmente, al ser pura chatarra que duerme el cerebro.

En la tercera etapa la chatarrifilis entra en su periodo más devastador, porque los clientes dejan de creer en el innovador y el tamaño de su éxito se transmuta en un inmenso desprestigio difícil de curar.

En una cuarta etapa, cuando no se administran los remedios adecuados, la chatarrifilis puede matar a tu empresa y causar epidemias de estupidez masiva en la sociedad.

2) *Exitonorrea:* pertenece a la familia de la gonorrea, que es una infección provocada por otra bacteria que causa daños a los órganos reproductores e incluso infertilidad. En el caso de la exitonorrea es una enfermedad venérea de la innovación que se da cuando alguien tiene éxito y no lo sabe manejar.

Cuando eres innovador corres el riesgo de que te vaya muy muy bien y hay que estar preparado para no perderte, porque la persona con exitonorrea puede tener dos síntomas: primero el paciente empieza a tener miedo de inventar algo nuevo porque teme no crear cosas del nivel de las que lo llevaron al éxito.

El segundo síntoma, más grave aún, se da cuando debido a la comodidad del éxito el paciente ha perdido la pasión y en consecuencia, igual que en la gonorrea, se puede perder la fertilidad. Los pacientes con exitonorrea avanzada están completamente estériles para crear lo nuevo. Este padecimiento es común en compositores, escritores, empresarios y todo tipo de innovadores.

Técnicamente, el éxito es un aminoácido muy provechoso para la mente, porque te da la sensación de valía y esa seguridad te permite seguir avanzando, pero cuando el éxito no está bien compensado por nutrientes como el amor, la amistad, la humildad y las ganas de seguir aprendiendo, la mente sufre una descompensación y el aminoácido llamado éxito muta y te genera unas llagas horribles de prepotencia y secreciones de soberbia hasta destruirte completito.

MEDIDAS DE PREVENCIÓN

Toma pastillas antiapendejamiento: rodéate de personas que se atrevan a decirte lo que piensan, porque los puntos de vista de otros son como pastillas que te ayudarán a detectar rápidamente si tus productos están siendo chatarra o si tu éxito te está resultando contraproducente. Cuando te rodeas de personas honestas y te permites escuchar, es muy difícil que padezcas enfermedades venéreas de la innovación porque te puedes ver a través de ellos. Como lo hemos comentado, la mente humana tiende a engañarse, o sea, todos incluyéndonos a ti y a mí, tenemos una enorme habilidad para hacernos pendejos, y personas que nos sirvan como espejos nos provocan un desapendejamiento tan sano que evita este tipo de padecimientos.

Usa las preguntas preservativo: en todo este libro hemos usado las preguntas como camino para crear, pero también las podemos usar como preservativo para mantenernos bien alineados con la vida, sin riesgo de contagiarnos de exitorrea o chatarrifilis.

Cuando innoves usa estas tres preguntas:

1) ¿A quién beneficia y a quién podría perjudicar mi innovación?
2) ¿Cómo puedo hacer que mi creación sea sostenible en el tiempo?
3) ¿Cómo le puedo hacer para disfrutar el éxito sin perderme de mí mismo?

La vida es cíclica, por eso, si hoy te está yendo bien disfrútalo, porque tarde o temprano el ciclo terminará. Si hoy te está yendo mal, despreocúpate del resultado; usando las cuatro posiciones: explorar, romper, crear y emprender, tarde o temprano el orgasmo llegará.

CRÉDITOS Y AGRADECIMIENTOS

◆

É ste es mi noveno libro, pero ha sido una experiencia completamente diferente a los otros, mucho más colectiva, una auténtica orgía de ideas y conversaciones, por eso primero quiero agradecer a todas las personas que colaboraron para escribir este libro:

A Yaz, *emprendedora disrupta*, mi compañera de vida y de prácticas de *Kamasutra*, tienes la fuerza, la inteligencia y la pasión para que las cosas sucedan. "Inteligencia innovadora" va más allá de un libro o una aplicación, es un concepto completo y redondo y sin ti no lo sería. La historia que más me gusta es la que seguimos escribiendo juntos. Gracias.

A Salvador Ruvalcaba, el inge *disrupto-creativo-extremo*, de zapatos confusos. Creador de la tabla paramétrica que está cambiando la forma de valuar inmuebles en el estado de Jalisco. Con tu asesoría y tus puntos de vista divergentes provocas revoluciones en éste y en todos los proyectos que compartimos. Gracias por las conversaciones, las aportaciones, la asesoría de contenido y el apoyo para encontrar frases, incluidas las que manejas en tu cuenta de twitter.

A Mariela, *exploradora-creativa*, fuiste un gran apoyo para la investigación, talacha e integración. Pero tu mayor aportación fue esa capacidad de sorprenderte y escuchar.

A Mario Ruiz, *disrupto-loquillo* y gran artista. Te integraste a toda madre y entendiste el concepto, por eso las ilustraciones quedaron poca madre.

A Fer Ramírez, socio y amigo *emprendedor apasionado*, te la pasaste probando y probando las herramientas de inteligencia innovadora en entrenamientos con empresas y eso ayudó a pulir y mejorar.

A Alice, de *alma disrupta*, por tu capacidad de construir haciendo pedazos.

A Karina Orea, socia *emprendedora mutante*, tu soporte ha sido muy importante para que este libro sea realidad.

A todos mis socios y amigos, quienes de forma directa e indirecta hacen posible que los demás estemos metidos de lleno en la creación: René de Médici, Josué Ratatouille, Marlene de Gaulle, Ricardo Verne y Ramón enlazador de mundos, a todos por sus enseñanzas, su influencia en mi vida y por creer en lo que hacemos.

A todo el equipo LQ que día a día aprende a trabajar menos, tener mejores orgasmos laborales y echarse un buen tinto a horas de oficina: Ken Wilber, Lili Fayol, Miguel van Gogh, alias *el Rubio*, Victoria Creel, Pili Gengis Khan, además de Yazmin Pinot Noir, Salvador *Metáforas*, Fernando *el Toro*, Kari *la Oruga*, Alice Ouspensky y Mariela de Saint Exupèry (los últimos cuatro colaboraron directamente y los mencioné antes).

A Cosmogonía y el Instituto Thomas Jefferson, empresas aliadas con quienes estamos creando juntos. En particular a Martin, Roy y Dorian.

A los clientes y amigos que le han apostado a nuestro trabajo y nos han permitido entrar en las entrañas de sus empresas con proyectos innovadores: gracias, Luisa y Arturo, de Casas Atlas; René, Marlene y Josué, de CONTPAQi; Marce y Philipe, de Hershey's; Paco y Vero, de Pepsico; Nacho, de Televisa; Juan Carlos y Gris, de Compucad; Octavio y Mike, de Demek; y los tres García, de Chapala.

Por las orgías de ideas que me ayudaron a divertirme y me aportaron conceptos para este libro, gracias a Paty Osorio, Jorge Martínez, Jorge, Marco y Óscar, de CONTPAQi, y en especial a mi carnal Güicho, que en las charlas de los sábados me regala siempre ideas brillantes.

A todo el equipo de Penguin Random House, a mi editora Fer, Ariel, Sandra, Cristóbal, al equipo de ventas y al de *marketing*, gracias a todos por confiar en mis locuras.

Quiero agradecer a otras personas que no colaboraron directamente con este libro pero que me han dado soporte, amor y confianza para que yo tenga la bendición de dedicarme a lo que me apasiona:

A mis jefes. Mi papá y mi mamá, Jorge y Sara, por jamás haberme exigido nada, porque siento que eso me dio la libertad de jugármela por lo que quiero, sin miedo de decepcionar a nadie.

A Sofi, mi chamaca, verte crecer me mantiene inspirado.

A Connie, que nunca pudo quitarme lo dañado pero me acompañó muchos años en el camino de encontrarme a mí mismo.

A mis amigos, a los que veo y a los que no, a los cercanos y a los que temporalmente están lejos, gracias porque todos son parte de esa fuerza que me ayuda a encontrar el sentido.

Y sobre todo a la vida que a través de tantas personas de almas luminosas y mentes torcidas me ha dado lo que soy.

GRACIAS

Libros que te pueden seducir

◆

Disfruté mucho al escribir el *Kamasutra,* incluso traigo esa sensación agridulce de la felicidad de terminarlo y la tristeza de que estos dos apasionantes años terminen.

Antes de dar vuelta a la página y buscar nuevos mundos por escribir, te comparto la bibliografía, porque es una forma de agradecer a quienes han influido en mí.

Para el *Kamasutra de la innovación* hubo tres tipos de influencias: por un lado, las conversaciones con personas, luego la oportunidad que me dan muchas empresas de aplicar mis conceptos con ellos y por otro mi relación con varios libros que aquí mencionaré:

No podría precisar, a excepción de algunas citas, qué obras influyeron en qué partes exactas de este libro, creo que es un asunto mucho menos lineal. Lo que se me ocurrió es acompañar la bibliografía con un comentario que diga en qué colaboró cada libro conmigo.

Los libros son como amantes, te seducen, te compenetras con ellos y al final te dejan una huella.

Pero si te encanta dejarte seducir por cada libro que se atraviesa, huella tras huella, al final ya no sabes ni qué es de quién.

Además, ya en la intimidad los libros te dicen cosas al oído, pero tú estás tan excitado que escuchas lo que necesitas entender.

Aunque la verdad no con todos los libros tuve orgasmos, algunos me dejaron a medias y otros me abrumaron tanto que yo los dejé a la mitad (pobres), pero de todas formas los voy a poner todos, no sería decente no darle su crédito a alguno nomás porque no me gustó su ritmo o su manera de terminar.

Lo que sí haré es decirte con quiénes tuve noches increíbles, te conviene saber, porque igual se te antoja que tú y ese libro se fundan en ese tipo de lectura en la que nada más existe, en la que tus ojos y sus páginas hacen que el tiempo se detenga y lees y lees y lees hasta que tu vida deja de ser lo que era.

Cuando esto pasa queda algo del libro en tus moléculas que ya es imposible de quitar y no tiene que ver con la memoria, no es que por haber sido un buen amante recuerdes lo que te dijo el libro; es más, yo recuerdo muy pocos detalles de los libros a los que realmente he amado, pero me doy cuenta porque al cerrarlos siento que algo de su esencia ya se quedó en mí.

Si andas en busca de un amante, seguro que en las siguientes páginas encontrarás grandes candidatos.

Mezclé dos tipos de libros para que de acuerdo con tus gustos elijas por cuáles te dejarás conquistar:

Divulgación: Libros en los que he aprendido conceptos de innovación, creatividad, historia, desarrollo humano y ciencia. Amantes apacibles y pacientes que me enseñaron mucho.

Novela: Tengo especial debilidad por las novelas, porque son amantes muy arrebatados que me ayudan a comprender mejor la naturaleza humana; en sus personajes y en sus historias descubrí muchos elementos del *Kamasutra de la innovación*.

Entre página y página, Morris Berman me dijo: "las novelas nos hacen llegar a la profundidad en una sociedad atascada de contenido chatarra".

Andhasi, Federico, *El anatomista*, Buenos Aires, Planeta, 2010	La historia de un anatomista que descubre la pequeña más grande parte del universo, el clítoris. Muy creativo, digno de su autor. Cuando leo un libro creativo me dan ganas de crear.
Andhasi, Federico, *El conquistador*, Buenos Aires, Planeta, 2007	Me divirtió muchísimo el planteamiento *disrupto* de un azteca descubriendo Europa. Y su autor, Federico Andhasi, me parece muy creativo. Esto de crear historias alternativas siento que abre otras carreteras en el cerebro, para el autor y para los lectores.
Aydon, Cyril, *Historia del hombre: 150 mil años de historia de la humanidad*, México, Planeta, 2011	Fue esencial, porque me ayudó a ver la historia de la humanidad pero en función de la innovación. Es un amante de esos que te enseñan. Muy didáctico. Además es apasionante darle una pasada a la historia desde esta perspectiva. Orgásmico.
Bachrach, Estanislao, *Ágilmente*, México, Grijalbo, 2013	Neurociencias fáciles, prácticas y sencillas para cualquier mortal como yo.
Balagué, Guillem, *Pep Guardiola. Otra manera de ganar*, México, Roca, 2013	Pep me parece mucho más que un director técnico, para mí es un innovador, una persona comprometida con su filosofía, pero sobre todo una persona multidisciplinaria que sabe encontrar las conexiones para revolucionar su mundo.

Berman, Morris, *El crepúsculo de la cultura americana*, México, Sexto Piso, 2007	Es espectacular la crítica desafiante, *disrupta,* y la forma en que Berman me ayuda a ver que innovar no debe tratarse de hacer borregos consumidores de chatarra, sino de buscar mejores caminos para la humanidad. Contracultura multiorgásmica.
Coontz, Stephanie, *Historia del matrimonio*, Barcelona, Gedisa, 2009	Me apasionó este libro, ver lo que ha pasado con la pareja en siglos, y descubrir que la innovación está en todos lados, hasta en la forma de relacionarnos.
Csikszentmihalyi, Mihaly, *Flow*, Nueva York, Harper & Row, 1990	Un clásico, de cabecera, que te lleva a buscar el estado óptimo. Ese estado en el que las ideas y las acciones llegan en el momento justo.
Csikszentmihalyi, Mihaly, *Creativity*, Nueva York, Harper Collins Publisher, 1996	Me ayudó a comprender la importancia de la atmósfera para crear tierra fértil, para vivir una de las actividades que más bienestar genera en nosotros los humanos, la creatividad.
Druon, Maurice, *Los reyes malditos*, vols. I al IV, Barcelona, Zeta, 2008	La primera saga que narra la historia en forma de novela, lo cual desde mi punto de vista es una innovación. La historia de los reyes malditos no sólo es una clase de historia, política y poder, sino un ejemplo de que uno puede aprender algo divirtiéndose, y eso a mí como autor me motiva.
Dyer, Jeff H., Gregersen Hal B. y Christensen Clayton M., *El ADN del innovador*, Barcelona, Deusto, 2012	Un clásico de innovación que me regala las habilidades de quienes han revolucionado el mundo de los negocios en el área digital.
Follett, Ken, *Los pilares de la tierra*, México, Plaza & Janés, 2014	Esta novela es espectacular, porque no sólo es increíble leer una historia que gira alrededor de la construcción de una catedral medieval, sino que fue un desafío para su autor, quien ya era un escritor exitoso. y lejos de estancarse y dormirse en la exitonorrea se arriesgó a tomar un nuevo camino, en el cual se ha reinventado a sí mismo.

Follett, Ken, Trilogía The Century: *La caída de los gigantes, El invierno del mundo, El umbral de la eternidad*, México, Plaza & Janés, 2010–2014	La historia del siglo XX (desde poquito antes) en una trilogía genial. De esas que estás esperando que salga el siguiente libro. Para mí Follett es una inspiración que me invita a seguir escribiendo.
Forest, Jason, *Leadership Sales Coaching*, Colorado, MJS Press, 2012	Un regalo que una cliente me dio. Me hizo ver que hay que concentrarse más en "cómo jugar" que en "el resultado". En las ventas y en la innovación.
Gándara, Guillermo, y Francisco J. Osorio, *Métodos prospectivos*, México, Paidós, 2014	Técnicas para el pensamiento, muy útiles cuando estás escribiendo un libro como éste.
García Márquez, Gabriel, *Vivir para contarla*, México, Diana, 2002	Aparte de que me encantó la alucinante versión de su vida, me hizo reafirmar la importancia de la conversación para crear. Ya sea para desarrollar tecnología, negocios o, como en este caso, para crear historias y personajes.
Gardner, Howard, *Inteligencias múltiples*, México, Paidós, 2011	Las bases para entender que hay muchas formas de ser inteligente y el coeficiente intelectual es sólo una parte del enorme mundo de capacidades que hay.
Gelb, Michael J., y Sarah Miller Caldicott, *Innovate Like Edison*, Nueva York, Dutton, 2007	Orgásmico, combina tips y claves para ser innovador, con historia y análisis de este genio multipatentes. Además es un libro que me regaló una buena amiga, Claudia. Gracias.
Gelb, Michael J., *How to Think Like Leonardo da Vinci*, Nueva York, Dell, 2000	Las claves para ver el mundo desde múltiples perspectivas por parte de un genio curioso y multidisciplinario. Este libro influyó en mi idea de que la genialidad viene de las "multiperspectivas visuales" como la forma en que Leonardo dibujaba objetos desde muchos lados.

Gompertz, Will, *¿Qué estás mirando?*, Barcelona, Taurus, 2013	La historia del arte te ayuda a entender también la historia de la innovación. Lo que más me gustó de este libro es su forma de compartir, los datos y las historias y en particular el tema del impresionismo y expresionismo me reafirmaron la idea de que las grandes innovaciones se gestan de forma colectiva.
Herrscher, Enrique G. *Pensamiento sistémico*, México, Granica, 2007	Es un libro que me ayudó a no ver las cosas de forma lineal o causa-efecto, sino como parte de un sistema ultradinámico. Técnicas como el efecto carambola, el problema correcto o multiperspectivas están muy relacionados con lo que aprendí con este libro.
Isaacson, Walter, *Einstein*, Londres, Simon & Schuster, 2007	Un personaje extraordinario, rebelde con causa que me sigue inspirando con su vida.
Isaacson, Walter, *Los innovadores*, México, Debate, 2014	Este libro me ayudó mucho a ver el carácter colectivo de la innovación en el desarrollo de la era digital.
Kaku, Michio, *El futuro de nuestra mente*, México, Debate, 2014	Excelente para comprender neurociencias, las especulaciones sobre lo que viene, y lo que más me encantó es la idea de que nuestra mente tiene un simulador del futuro y eso nos hace distintos. Es un amante interesante, enigmático y audaz. Orgásmico.
Karrass, Chester L., *En los negocios como en la vida, tú no obtienes lo que mereces, obtienes lo que negocias*, California, Stanford St. Press, 1996	Muy importantes las bases de Karrass para entender que si no sabes negociar ya empezaste a devaluar tus ideas.
Kasparov, Garry, *Cómo la vida imita al ajedrez*, Barcelona, Debate, 2007	La metáfora que hace Kasparov me ayuda a comprender conceptos básicos del ajedrez y la estrategia que se ven reflejados en el emprendedor.

Lupton, Ellen (ed.), *Intuición, acción, crea-ción. Graphic Desing Thinking*, México, Gustavo Gili, 2012	Retos, tips y técnicas que al aplicarlas me ayudan a ver nuevas formas de alcanzar la creatividad. Todo este tipo de información, a la hora de utili-zarla en empresas me iba dando la experiencia para poder compartirte cómo lograrlo.
Matveikova, Irina, *Inteligencia digestiva*, Madrid, La esfera de los libros, 2011	Parecería un libro que nada tiene que ver con la inte-ligencia innovadora, pero el chiste es encontrar la co-nexión; lo compré en Barcelona porque antes de una clase me enfermé del estómago, me dio una diarrea marca diablo y quería saber qué pasaba conmigo, no imaginaba la importancia del aparato digestivo, y combinando este libro con la forma de consultar al estómago de Onassis saqué la técnica del segundo cerebro.
Mnookin, Robert, *Negociando con el dia-blo*, Bogotá, Carvajal Education, 2010	Un libro que en pocas palabras me hizo ver lo tapado que he sido cuando he negociado con el diablo. Si no aprendes a analizar tus negociaciones, el lobo te comerá. Además el caso de Mandela es ex-traordinario.
Morais, Fernando, *El mago*, Barcelona, Planeta, 2008	Fracaso tras fracaso, defecto tras defecto, hasta que muchos años después Paulo Coelho, uno de los escri-tores más vendidos de nuestros tiempos, le pegó al gordo. Refuerza mi idea de la importancia de apos-tar y apostar hasta que le pegas. Buen libro, aunque no seas lector de Coelho.
Moreno, Martín, *En media hora la muerte*, Barcelona, Planeta, 2014	Sólo puedo agradecer por un libro que me hizo llorar y ver que somos parte de una gran historia llena de sobresaltos. Una historia honesta, personal, que me dice que las mejores creaciones son las que reflejan el alma de quien las hizo.

Moreno, Martín, trilogía *Arrebatos carnales*, tres volúmenes, México, Planeta, 2009, 2010, 2011	Qué hibridación tan buena, historia con sexo. He escuchado las críticas por el tema de la solidez en la investigación. A mí me parece que el mensaje de este libro es que los héroes y los protagonistas de la historia han sido personas de carne y hueso, calientes y arrebatados, y no las idealizadas imágenes que nos tocó leer en los libros de texto.
Muñoz, Ramón, *Innovación a la mexicana*, México, Conecta, 2014	Un libro muy entusiasta que me hizo comprender de forma clara aspectos de la innovación, lleno de citas, datos y casos muy interesantes de un mexicano que impulsa la innovación como camino de solución para el país.
Murakami, Haruki, *1Q84*, Barcelona, Tusquets, 2011	Dos mundos paralelos existen en esta trilogía, y en la mente del innovador cuando menos debe haber dos mundos y dos lunas.
Murakami, Haruki, *Kafka en la orilla*, Barcelona, Tusquets, 2002	Hablando con los gatos y provocando lluvias, sentí que mi imaginación tenía orgasmos permanentes.
Navarro, Julia, *Dispara, yo ya estoy muerto*, México, Plaza & Janés, 2013	Algo muy importante en innovación es apreciar puntos de vista diferentes a los de uno, eso enriquece, da más posibilidades de crear y por si fuera poco genera tolerancia. Este libro me ayudó a entender el conflicto judío-palestino y ver que nadie es dueño de la verdad, hay que escuchar a todas las partes. Tuve la fortuna de platicar con amigos de ambos lados del conflicto y ver que son personas extraordinarias. Creo que ayuda a que como innovadores no nos casemos con ninguna versión de la realidad sino que veamos los matices de ambas posturas.
Oppenheimer, Andrés, *Crear o morir*, México, Debate, 2014	Fue un gran regalo escuchar que la solución en América Latina está en la innovación, simplemente me inyectó más ganas de seguir en este camino.

Perarnau, Marti, *Herr Pep*, Barcelona, Corner, 2014	El día a día de Pep en el Bayern de Múnich, sus intentos fallidos, sus múltiples perspectivas, y lo mejor de todo, las pláticas con otros genios como Kasparov, reforzaron en mí la idea del valor de "la conversación" para generar creatividad.
Pinkola, Clarissa, *Mujeres que corren con lobos*, Barcelona, Zeta, 2009	Metáforas arquetípicas en donde vi que barba azul, el depredador de la psique, es también el saboteador de la creatividad.
Poissant, Charles A., y Christian Godefroy, *Mi primer millón*, Buenos Aires, Atlántida, 1999	Un regalo de mi maestro Poncho. El libro está totalmente deshojado, pero las historias de gente como Honda, Ford u Onassis me ayudaron a entender un poco a estas personas que han logrado cosas descomunales. Y en particular de aquí tomé la mitad de la idea de hacerle caso al estómago como Onassis.
Sagan, Carl, *El mundo y sus demonios*, Barcelona, Ediciones B, 1995	Es de ese tipo de libros que me ayudan a ver los efectos de la chatarra y la charlatanería, siento que me mantienen con los pies en la tierra.
Sagan, Carl, *Los dragones del edén*, Barcelona, Crítica, 2015	Carl Sagan fue un monstruo de la divulgación, a pesar de que las investigaciones sobre el cerebro van mucho más avanzadas hoy que cuando Sagan escribió su libro, para mí es una obra de arte que me ayudó a entender un poquito cómo funciona nuestro cerebro. Megaorgásmico.
Sanchez Piñol, Albert, *Victus*, Barcelona, Alfaguara, 2013	El personaje de esta novela histórica es un *disrupto* con humor negro que te hace ver múltiples perspectivas de la guerra, de la humanidad y de la innovación militar. Uno de mis libros favoritos que me ayudó a caracterizar mejor al *disrupto*.
Sheldom, Sidney, *La novela de mi vida*, Barcelona, Emecé, 2006	Descubrir que la bipolaridad puede hacerte un mejor autor de libros de entretenimiento, porque conoces el cielo y las tinieblas, me hace reafirmar que no existen los defectos ni las enfermedades sino los talentos no encauzados.

342 ◆ EL KAMASUTRA DE LA INNOVACIÓN

Shmidt, Eric, y Jonathan Rosemberg, *Cómo trabaja Google*, México, Aguilar, 2015	Entender un mundo divergente, en donde la búsqueda es crear cosas "sorprendentemente útiles". Me inspiró tanto que he adoptado esa pregunta: ¿cómo hago que sea sorprendentemente útil?
Smith, Gina, y Stephen Wozniak, *iWOZ*, Madrid, SL Rasche y Pereira-Menaut, 2013	Woz se me hace un tipazo, sé que suena personal, pero la historia desde sus palabras me inspira.
Soriano, Ferran, *La pelota no entra por azar*, Barcelona, El Lector Universal, 2009	El lado innovador de la nueva era del Barça. Además en este libro encontré la importancia de "perder para ganar" y de "hacer apuestas sistemáticamente".
Stone, Irving, *La agonía y el éxtasis*, Barcelona, Salamandra, 1993	De la historia de Miguel Ángel no sólo encontré la vida de un genio sino dos cosas más: la importancia de los mecenas, o sea, de la gente que confía en tu talento y te patrocina, y que aún hasta el sufrimiento se puede convertir en arte, lo importante no son las situaciones adversas sino lo que hacemos con ellas.
Stone, Irving, *Un anhelo de vivir: la vida de Vincent van Gogh*, México, Diana, 2000	La historia novelada de Van Gogh, que me hace ver la pasión intensa por buscar, aun con una vida tan difícil. La locura, la soledad y la enfermedad se pueden convertir en arte.
Tal Ben, Shahar, *En busca de la felicidad*, México, Alienta, 2011	Aunque Shahar lo maneja desde la perspectiva de ser feliz, para mí el tema de no ser perfeccionista es vital para innovar. Este libro fue un orgasmo en dos facetas, me ayudó a liberarme del perfeccionismo para escribir el libro con alegría, pero también me hizo ver la importancia de liberarse de ese demonio para innovar en cualquier situación. Creo que innovar es un deporte donde hay que aprender a equivocarse mucho.

Van Hensbergen, Gijs, *Antoni Gaudí*, Barcelona, Plaza & Janés, 2003	Otro de mis genios favoritos, un hibridador extraordinario, adelantado a su tiempo, que me ayuda a entender la importancia de mezclar.
Velasco Xavier, *Diablo guardián*, México, Alfaguara, 2003	Una de mis novelas favoritas, intensa, creativa, transgresora, *disrupta*. La he leído tres veces y creo que lo volveré a hacer. Inspiración pura para creativos.
W. Chan Kim y Renée Mauborgne, *La estrategia del océano azul*, Bogotá, Harvard Business Press/Grupo Editorial Norma, 2005	Vital para quien quiere innovar, además el concepto del Cirque du Soleil me llena como ejemplo de una idea que crea un nuevo mercado.
Wiseman, Liz, y Greg Mckeown, *Multiplicadores*, México, Conecta, 2013	Este libro te ayuda a ver los tipos de liderazgo que generan que los equipos sean creativos y emprendedores.
Zweig, Connie, y Jeremiah Abrams, *Encuentro con la sombra*, Barcelona, Kairós, 1991	Un libro para entender que todos somos humanos y que reconocer, aceptar y hacerte aliado de tu sombra es un camino a tu creatividad más profunda. Después de leer este libro se me ocurrió que en innovación es talento lo que en psicología es neurosis.

TABLA DE PREGUNTAS

◆

Haz del Kamasutra *tu guía para innovar*

INSTRUCTIVO

Cada que tengas un proyecto o situación en el que quieras explorar, romper moldes, crear opciones y aterrizar no es necesario que vuelvas a leer todo el libro, simplemente aplica las preguntas, ya que éstas condensan todo el conocimiento del *Kamasutra de la innovación*. En cada pregunta encontrarás ejemplos de respuestas, y si tienes dudas puedes consultar el capítulo correspondiente.

Puedes aplicar las preguntas:

✓ De forma individual o colectiva.
✓ En proyectos tuyos.
✓ Para guiar a otros en sus proyectos.

Modalidades de aplicación:

1. *El método completo:* puedes aplicar todas las preguntas; esto es válido para proyectos muy importantes donde vale la pena invertir mucho tiempo.
2. *Por elección:* puedes seleccionar y aplicar únicamente las preguntas que consideres necesarias para tu proyecto. Por

ejemplo: dos preguntas básicas, tres de explorador, tres de *disrupto,* tres de creativo y tres de emprendedor.

3. *Al azar, usando la* app: descargando la *app* Tu Coach para Innovar puedes hacer las preguntas al azar; esta modalidad es muy enriquecedora porque el *coach* virtual te guía, y como las preguntas son aleatorias tus prejuicios no intervienen, ya que el riesgo de elegir tú las preguntas es que te quedes en la caja porque inconscientemente eliges de acuerdo con las ideas preconcebidas que ya traes. Descubre cómo usar la *app* en www.inteligenciainnovadora.com.

En todas las modalidades siempre inicias con la primera pregunta de "Preguntas básicas": ¿en qué vas a innovar hoy?, es la única que es indispensable.

Preguntas básicas

NÚMERO	TÓPICO	PARA QUÉ	PÁGINA
1	PROYECTO	Establecer la situación en la que deseas innovar	18
2	PARA QUÉ INNOVAR	Tomes conciencia de la dimensión de tu proyecto y sus impactos	45
3	INTELIGENCIA INNOVADORA	Reflexiones sobre tus fortalezas y debilidades para el proyecto	58
4	INTELIGENCIA COLECTIVA	Tengas claro con quién cuentas y a quién habrías de invitar	69
5	ATMÓSFERA	Evalúes el contexto en el que está tu proyecto	85
6	QUÉ QUIERES	Clarifiques qué quieres	90
7	DESAFÍO	Tengas en mente el reto a enfrentar	93

Preguntas de explorador

NÚMERO	TÓPICO	PARA QUÉ	PÁGINA
1	EXPLORADOR	Establecer dónde vas a buscar	103
2	LA PREGUNTA DEL MILLÓN	Construir la pregunta básica para tu proyecto	114
3	HECHOS VS. ESPECULACIONES	Clasificar bien tu información	120
4	NECESIDADES	Buscar oportunidades	126
5	SÍNTESIS VISUAL	Ver la información de forma divergente	129
6	ZOOM OUT	Tener un panorama global	132
7	ZOOM IN	Considerar los detalles	138
8	METAFOREANDO	Ver en un lenguaje paralelo	140
9	FUTURO	Descubrir la tendencia	144
10	MODELO DE ÉXITO	Ampliar el panorama	146
11	DISCIPLINAS	Tener elementos combinables	148
12	HISTORIAS	Encontrar inspiración	150
13	EMPATÍA	Ver al cliente	151
14	ENTREVISTAS	Tener otras visiones	153
15	EXPERIMENTO	Entender la realidad desde dentro	155

Preguntas de disrupto

NÚMERO	TÓPICO	PARA QUÉ	PÁGINA
1	DISRUPTO	Detectar paradigmas caducos	164
2	MÁTAME ESTA	Comenzar a disruptizar	171
3	EL ABOGADO DEL DIABLO	Cuestionar el proyecto	174
4	EL PROBLEMA CORRECTO	Ver si estamos atacando en el punto que mueve el sistema	176
5	SARCASMO	Usar el humor	179
6	IRREVERENTE	Desmitificar	182
7	MULTIVISUAL	Encontrar nuevas perspectivas	186
8	EL SEGUNDO CEREBRO	Usar el instinto	189
9	SABOTAJE	Contemplar a la parte que sale perjudicada	193
10	CISNE NEGRO	Prepararse para contingencias	195
11	ROMPER EL ORDEN	Replantearte las cosas	199
12	LA TELARAÑA	Conectar información	201
13	VACAS SAGRADAS	Cuestionar lo intocable	206
14	DESAPEGO	Despegarnos	208

Preguntas de creativo

NÚMERO	TÓPICO	PARA QUÉ	PÁGINA
1	CREATIVO	Retarte a experimentar	220
2	HIBRIDACIÓN	Idear mezclas	231
3	BRAIN STORMING	Liberar creatividad personal y/o colectiva	238
4	GURÚ	Crear opciones desde otras partes de ti	243
5	LOCURA	Salirte del manicomio	245
6	SORPRESA	Irte a tu polo desconocido	247
7	LA MÁQUINA DEL TIEMPO	Considerar los detalles	249
8	EL TERCER CEREBRO	Pensar desde el corazón	253
9	HUEVÓN INTERIOR	Hacer más con menos	257
10	EFECTO CARAMBOLA	Proponer soluciones sistémicas	262
11	MODELO DE SOLUCIÓN	Prototipar	264
12	SOLUCIÓN EN METÁFORA	Resolver en mundos paralelos	266
13	TERTULIA	Activar lo colectivo	268

Preguntas de emprendedor

NÚMERO	TÓPICO	PARA QUÉ	PÁGINA
1	EMPRENDEDOR	Retarte a decidir	283
2	CONCEPTO	Clarificar tu idea	286
3	ESTRATEGIA	Definir líneas de acción	290
4	SEGUIMIENTO	Contemplar los seguimientos estratégicos	292
5	EMPRENDOPATÍA	No descuidar ningún detalle	294
6	PILOTO	Probar como sistema	295
7	CONEXIÓN TOTAL	Alinear tu proyecto	297
8	VENTA	Contagiar de tu idea	303
9	DISEÑO	Hacerlo visualmente atractivo	305
10	ATMÓSFERA	Crear el entorno para que las cosas sucedan	307
11	NEGOCIACIÓN	Construir los acuerdos para hacer tus ideas realidad	309

El Kamasutra de la innovación, de Jorge Cuevas
se terminó de imprimir en septiembre de 2015
en los talleres de Litográfica Ingramex, S.A. de C.V.
Centeno 162-1, Col. Granjas Esmeralda,
C.P. 09810 México, D.F.